C.H.BECK ■ W...

in der Beck'sch...

W9-CJB-893

Berkeley, Berlin, Rom, Paris – dieses Buch bietet einen prägnanten Überblick über den Aufstieg, die Ziele und den Zerfall der 68er Bewegung, deren Aktionen auf dem Weg in eine „andere" Gesellschaft bis heute Debatten über ihre Wirkungen und ihre historische Rolle provozieren.

Ingrid Gilcher-Holtey ist Professorin für Allgemeine Geschichte unter besonderer Berücksichtigung der Zeitgeschichte an der Universität Bielefeld.

Ingrid Gilcher-Holtey

DIE 68ER BEWEGUNG

Deutschland – Westeuropa – USA

Verlag C. H. Beck

Die Deutsche Bibliothek – CIP-Einheitsaufnahme

Gilcher-Holtey, Ingrid:
Die 68er Bewegung : Deutschland – Westeuropa – USA /
Ingrid Gilcher-Holtey. – Orig.-Ausg. – München : Beck, 2001
  (C.H. Beck Wissen in der Beck'schen Reihe ; 2183)
  ISBN 3 406 47983 9

Originalausgabe
ISBN 3 406 47983 9

Umschlagentwurf von Uwe Göbel, München
Umschlagabbildung: Rudi Dutschke (m.) bei einer Demonstration
gegen den Vietnamkrieg in Berlin 1968, rechts von ihm: G. Salvatore
Foto: Süddeutscher Verlag – Bilderdienst
© Verlag C.H. Beck oHG, München 2001
Gesamtherstellung: Druckerei C.H. Beck, Nördlingen
Printed in Germany

www.beck.de

Inhalt

Prolog

Berlin, den 17./18. Februar 1968: „SIEG DER VIETNAME-
SISCHEN REVOLUTION. DIE PFLICHT JEDES REVOLU-
TIONÄRS IST ES DIE REVOLUTION ZU MACHEN". Auf
einem roten Fahnentuch sind diese Parolen im Auditorium
Maximum der Technischen Universität Berlin angebracht
neben Plakaten, die Che Guevara zeigen oder ein in geballter
Faust nach oben gehaltenes Gewehr. Symbolisch werden mit
diesen Zeichen Studierende und Jugendliche aus aller Welt
empfangen, die nach Berlin gereist sind, um teilzunehmen am
ersten Internationalen Vietnam-Kongreß, zu dem der Sozialistische Deutsche Studentenbund (SDS) eingeladen hat. Wer
die Sprache der Zeichen zu deuten versteht, erkennt, daß der
SDS sich in seiner Opposition gegen den Krieg in Vietnam an
Che Guevaras Revolutionstheorie anlehnt und zugleich von
der SED abgrenzt, die seinen Appell an die Pflicht des Revolu-
tionärs, „die Revolution zu machen", übersetzt hat als Pflicht,
„der Revolution zum Durchbruch zu verhelfen". Nicht Vertrauen auf einen historisch vorgezeichneten Entwicklungsprozeß, sondern die Vorstellung, daß Geschichte machbar und die
bestehende Gesellschaft durch bewußtseinschaffende Aktionen zu verändern ist, zeichnet die Einstellung und Erwartung
der Organisatoren des Kongresses aus.

Der Hörsaal ist überfüllt. Noch auf dem Podium hinter
dem Rednerpult versucht das Publikum, Platz zu finden. Journalisten und Photographen, Hörfunk- und Fernsehreporter
haben sich über den ganzen Saal verteilt, um die Atmosphäre
einzufangen und in Bildern festzuhalten, was im Hörsaal geschieht. Doch nicht vor den Kameras, sondern hinter den Ku-
lissen des Kongresses, in den Cafés am naheliegenden Steinplatz sowie in den Räumen des Republikanischen Clubs in der
Wielandstraße finden die entscheidenden Szenen statt. Noch
bevor der Kongreß offiziell eröffnet wird, treffen dort Personen zusammen, deren Namen die Öffentlichkeit im Verlauf
des Jahres 1968 kennenlernen wird, die sich in Berlin jedoch

zunächst einmal untereinander bekannt machen. Aus Frankreich sind Alain Krivine und Daniel Bensaïd von der trotzkistischen Gruppe JCR (Jeunesse Communistes Révolutionnaires) sowie Daniel Cohn-Bendit von der anarchistischen Gruppe LEA (Liaison des Etudiants Anarchistes) gekommen, aus Großbritannien Tariq Ali und Robin Blackburn von der Vietnam-Solidarity Campaign bzw. der ‚New Left Review‘, aus Italien Giangiacomo Feltrinelli als Vertreter der linkssozialistischen PSIUP (Partito socialista di unità proletaria) sowie als Vertreterin der amerikanischen SDS (Students for a Democratic Society) Bernadine Dohrn, um nur einige zu nennen, die 1968 öffentlich hervortreten sollten. Die Gemeinsamkeit der Gruppen, die sie repräsentieren, wird durch ihre Differenz zur alten Linken bestimmt sowie durch ihre Bereitschaft, Worten des Protestes auch Taten folgen zu lassen, d. h., Aufklärung zu vermitteln durch Aktion. Konkret geht es ihnen im Februar 1968 in Berlin darum, der Formel der amerikanischen SDS folgend, auch auf dem europäischen Kontinent „Protest in Widerstand" zu überführen.

Wie das aussehen kann, haben die von schwarzen amerikanischen Studenten gebildete Studentenorganisation SNCC (Student Nonviolent Coordinating Committee) und in Kooperation mit ihr auch die Students for a Democratic Society (SDS) bereits vorgemacht. Theoretisch vermittelt wird die Strategie der provokativen direkten Aktion den Teilnehmern des Berliner Internationalen Vietnam-Kongresses jedoch durch Rudi Dutschke. Seine Wortgewalt läßt das Charisma der Idee, die hinter der provokativen Aktion steht, greifbar werden und zieht selbst die theoretisch langjährig geschulten, militanten französischen Trotzkisten in seinen Bann. Begeistert übersetzen Alain Krivine und Daniel Bensaid die Botschaft und transferieren sie als „stratégie escalade provocation" nach Frankreich – nicht ahnend, daß Dutschke sie zum Teil von dort entlehnt hat, allerdings von einer Avantgarde-Gruppe, die in Konkurrenz zu den Trotzkisten steht, der Situationistischen Internationale um Guy Ernest Debord. Es ist die Vernetzung von Personen, Gruppen und Ideen, die den Berliner Vietnam-

Kongreß zu Beginn des Jahres 1968 zu einem Schlüsselereignis macht.

Die Eindrücke der Teilnehmer des Internationalen Vietnam-Kongresses werden um die sinnliche Erfahrung einer Demonstration ergänzt, über deren Form buchstäblich erst in letzter Minute eine Entscheidung gefallen ist. Wie in einer Bühneninszenierung, in der zwei Handlungsstränge simultan verlaufen, hat der Internationale Vietnam-Kongreß die Aufmerksamkeit der Teilnehmer hin- und hergerissen. Neben den Reden, vorgetragen in verschiedenen Sprachen, ist im Saal immer wieder die Frage diskutiert worden, was im Fall der Aufrechterhaltung des vom Berliner Senat ausgesprochenen Verbots der Abschlußdemonstration, gegen das der SDS Einspruch erhoben hat, geschehen soll. Ist die Demonstration gegebenenfalls dennoch durchzuführen, und zwar, wie geplant, auf einem Weg, der die Demonstranten direkt zur amerikanischen Mc-Near-Kaserne führt? Die offenen Situationen inhärente Spannung ist auf alle Teilnehmer übergesprungen. Die Herausforderung des abstrakt diskutierten Prinzips der begrenzten Regelverletzung wird konkret, als, vermittelt nicht zuletzt durch Interventionen von Bischof Kurt Scharf und Günter Grass, die Demonstration zwar genehmigt, aber auf eine andere als die geplante Route gelenkt wird. Damit gilt es zu entscheiden, die Spielregeln zu akzeptieren oder die Regeln zu brechen.

Ob es der Einfluß Scharfs ist, der die persönliche Verantwortung dafür übernommen hat, daß die Demonstration legal und friedlich bleibt, oder Erich Frieds, der Rudi Dutschke während seiner Rede einen Zettel reichen läßt, auf dem er von einer Provokation abrät, bleibt offen. Die Demonstrationsroute wird akzeptiert, keine Regel gebrochen. In rhythmischen Wellenbewegungen zu den Rufen „Ho-Ho-Ho-Chi-Minh" bewegen sich 15 000 Teilnehmer durch die Straßen von Berlin. Es ist der Moment, in dem Robin Blackburn erstmals den „Geist von 1968" zu spüren glaubt, ein, wie er später urteilt, „inspirierendes neues politisches Klima" (Fraser: 180). „Wir hatten", so Tariq Ali, „unser Banner mitten im Herzen des von der USA beherrschten Europa erhoben." Die Abschlußdemonstration, nicht die Reden des Kongresses, findet Nachhall in der internationalen Presse sowie in den Erinnerungen aller Teilnehmer noch 30 Jahre nach den Ereignissen. Etwas, so schien es, war in Bewegung gekommen. Aber was?

Die skizzierten Szenen des Internationalen Vietnam-Kongresses sind Splitter eines Mosaiks, das es zusammenzusetzen gilt, um das Bild der 68er Bewegung international zu entfalten. Symbolisch verdeutlichen sie jedoch bereits, daß die 68er Bewegung keine nationale, sondern eine internationale Bewegung war und der Versuch, ihre Konturen zu zeichnen, daher über nationale Fallstudien hinausgeführt werden muß. Die nachfolgende Rekonstruktion der Bewegungen in Deutschland, Frankreich, Italien und den Vereinigten Staaten wird geleitet von der Prämisse, daß die Proteste, die in den westlichen Industrieländern 1968 kulminierten, mehr als eine „Studentenrebellion" oder „Generationsrevolte" waren und mit Worten wie „Karneval" oder „romantischer Rückfall", „Kulturbruch" oder „Revolution im Weltsystem" zwar etikettiert, aber nicht analysiert sind. Im Zentrum der Studie steht der Versuch, über die nationalen Besonderheiten, welche die Entstehung und den Verlauf der Bewegungen erklären, hinauszugreifen und die Gemeinsamkeiten der Bewegungen deutlich zu machen: ihre kognitive Orientierung an den Ideen der intellektuellen Neuen Linken (I), die Aktionsstrategien ihrer Trägergruppen (II), die Mobilisierungsprozesse auf dem Weg in eine „andere" Gesellschaft" (III), den gleichartig verlaufenden Zerfall sowie die Nachwirkungen der Bewegungen (IV). Aufbau und Struktur werden geleitet durch Begriffe, Fragestellungen, Hypothesen und Theoreme der Sozialen Bewegungsforschung. Analytisch definiert, ist „soziale Bewegung" ein auf gewisse Dauer gestelltes und durch eine kollektive Identität abgestütztes Netzwerk von Gruppen und Organisationen, die sozialen Wandel mittels öffentlicher Proteste herbeiführen, verhindern oder rückgängig machen wollen. (Neidhardt/Rucht). Unter „sozialem Wandel" als analytischer Kategorie wird eine Veränderung grundlegender – sozialer, ökonomischer, kultureller oder mentaler – Strukturen der Gesellschaft verstanden.

I. Alte Linke – Neue Linke:
Die kognitive Konstitution der Bewegung

Soziale Bewegungen entstehen aus sozialem Handeln, das Konflikte und Spannungen innerhalb einer Gesellschaft sichtbar werden läßt. Doch gibt es stets mehr strukturelle Spannungen und soziale Antagonismen als soziale Bewegungen. Eine Mobilisierung sozialen Handelns tritt erst ein, wenn es auf bestimmte Orientierungsmuster und Zielvorstellungen gerichtet wird. Entscheidend für eine erfolgreiche Mobilisierung sozialer Bewegungen ist daher ihre kognitve Konstitution. Es kommt darauf an, daß zumindest die Trägergruppen eine kognitive Identität gewonnen haben, ein symbolisches System der Selbstverständigung und Selbstgewißheit. Diese kognitive Konstitution wird in der Regel bestimmt durch Ordnungsentwürfe von Intellektuellen, die es ermöglichen, Ereignisse und Strukturprobleme zu deuten, Protestursachen zu definieren sowie Unzufriedenheit und Unbehagen zu lenken, auf Ziele zu orientieren. Betrachtet man die 68er Bewegungen, die, ihrem Selbstverständnis nach, neue linke Bewegungen waren, ging dem Mobilisierungsprozeß dieser Bewegungen – in den Vereinigten Staaten, in der Bundesrepublik, in Frankreich und Italien – jeweils die Formierung einer intellektuellen New Left, Neuen Linken, Nouvelle Gauche und Nouva Sinistra voraus.

1. Ausbruch aus der Apathie:
Die dissidenten Intellektuellen der Neuen Linken

Soho, Frühjahr 1960: Nur einen Steinwurf weit vom ehemaligen Wohnsitz Marx' entfernt, in No 7 Carlisle Street, nimmt im Frühjahr 1960 die Redaktion der ‚New Left Review' ihre Arbeit auf. Im Erdgeschoß befindet sich das Café Partisan, Londons Left Wing Coffee House, Treffpunkt der kritischen Jugend, die nachvollzieht, was die „Angry Young Men" in der Literatur vorgedacht haben: individuellen, kulturellen

Protest gegen den Zeitgeist, gegen die Erstarrung in der Politik, Gesellschaft und Kultur. Grelle Neonlampen leuchten den Raum aus, in dem gelegentlich auch Folk-Music gemacht oder eine Dichterlesung organisiert wird. Unmittelbar über dem Café hat die Zentrale der Kampagne für atomare Abrüstung ihren Sitz, die den Protest der Atomwaffengegner koordiniert. Im zweiten Stockwerk liegen die Räume des Universities and Left Review Clubs, eines Diskussionsforums der linken Intelligenz. Hunderte pilgern wöchentlich hierher, um teilzunehmen an Vortrags- und Diskussionsveranstaltungen. Nicht alle wissen, was die in einem der Nebenräume untergebrachte Redaktion der ‚New Left Review' plant, doch vielen ist zumindest der Name der Zeitschrift bekannt, die in einer Auflage von 9000 Exemplaren erscheint. Die ‚New Left Review' will der Kern einer neuen sozialistischen Bewegung sein. Über die Art dieser Bewegung gehen die Meinungen jedoch auseinander. Der Historiker E. P. Thompson, 37, dessen Versuch, innerhalb der britischen Kommunistischen Partei eine antistalinistische demokratische Opposition zu etablieren, gescheitert war, setzte sich 1959 auf der Gründungskonferenz für die Schaffung einer „neuen populistischen Bewegung" ein, welche die Labour Party völlig verändern oder ersetzen sollte. Der Soziologe Raymond Williams, 48, erklärte, bereits zufrieden zu sein, wenn die Intellektuellen der New Left in zehn Jahren zwanzig gute Bücher über die Gegenwartsgesellschaft in Großbritannien vorweisen könnten. Die Mehrheit der Teilnehmer entschied sich für eine Kombination beider Standpunkte: Die ‚New Left Review' erhält die Aufgabe, die sozialistische Tradition theoretisch neu zu fundieren und gleichzeitig praktisch politisch zu mobilisieren. Verflochten sind diese Bestrebungen von Anfang an mit der Kampagne für atomare Abrüstung (CND), doch ist das Ziel der New Left weiter gesteckt. Sie will die Grundlagen schaffen für eine neue Gesellschaft und eine neue Politik jenseits des Kalten Krieges und der Atombombe: durch die Bildung von „Gegenmächten" (countervailing powers) innerhalb der bestehenden, in allen ihren Teilbereichen durch Apathie gekennzeichneten (Überfluß-)Gesellschaft, durch die Erprobung einer neuen „demo-kratisch-revolutionären Strategie" mittels direkter Aktionen sowie durch die Schaffung eines neuen Bewußtseins durch Gesellschaftskritik und partizipierendes Handeln, durch, wie Thompson in der ‚New Left Review' schreibt, „democratic self activity" und „community projects". Was sie erstrebt, ist ein auf Lern- und Kommunikationsprozessen in unterschiedlichen Handlungskontexten beruhender und schrittweise sich entfaltender Transformationsprozeß der Gesellschaft. Den ersten Handlungsrahmen für die Aktivisten der New Left sollen kleine Gruppen bilden, in denen die Unmittelbarkeit der Mitgliederbeziehungen gewahrt, Kommunikation durch persönliche Kontakte entfaltet und Bürokratisierungstendenzen verhindert werden. Dieser Versuch, eine dem antibürokratischen Charakter der Neuen Linken entsprechende Gruppenstruktur zu entfalten, in der sich ihre Wert- und Zielorientierung verwirklichen können, wird auch in Frankreich gemacht.

Paris, Frühjahr 1960. Die Anfänge der Lesezirkel, die sich um die Zeitschrift ‚Socialisme ou Barbarie' gruppieren, die von Cornelius Castoriadis und Claude Lefort, zwei ehemaligen Trotzkisten, herausgegeben wird, reichen bereits in das Gründungsjahr 1949 zurück. Seit 1959 bemüht sich die Redaktion jedoch, auch außerhalb von Paris in der französischen Provinz Gesprächsgruppen zu etablieren. Sie gibt damit einen Anstoß, der von der Zeitschrift ‚Arguments' aufgegriffen wird, deren Redakteure, zumeist Dissidenten der Kommunistischen Partei Frankreichs, damit innerhalb Frankreichs zu schaffen versuchen, worüber sie außerhalb des Landes bereits verfügen: ein Netzwerk von Gleichgesinnten, die mit der alten Linken gebrochen haben, ohne bereit zu sein, zu resignieren und sich ins Privatleben zurückzuziehen. Der Kreis um ‚Arguments', dem die Soziologen Edgar Morin und Alain Touraine sowie der Philosoph Henri Lefebvre angehören, verfügt über Kontakte nach Berlin, wo sich 1959 die Zeitschrift ‚Das Argument' und in deren Umkreis bald danach der Argument-Club gebildet hat, sowie nach Italien, wo ‚Ragionamenti' im Austausch mit der Pariser Gruppe steht. In Italien

13

folgen als Organe der Nouva Sinistra die ‚Quaderni Rossi‘ (1961), ‚Quaderni Piacantini‘ (1962) und ‚Classe Operaia‘ (1963). Im Mai 1960 wird schließlich in Paris noch von einer dritten Gruppe ein Zeichen gegeben, das filigrane Netz, das ihre über ganz Europa verstreuten Mitglieder verbindet, auszudehnen: von der Situationistischen Internationale. In der Tradition des Dadaismus, Surrealismus und Lettrismus stehend, fordert sie in einem ‚Manifest‘ zur Besetzung der UNESCO auf, um gegen die Bürokratisierung der Kunst sowie der gesamten Kultur aufzubegehren und zugleich über diese Aktion die Produzenten einer neuen Kultur zu organisieren: „in der Organisation des erlebten Augenblicks".

Die skizzierten intellektuellen Zirkel sind klein, heterogen und weit davon entfernt, theoretisch an einem Strang zu ziehen. So würden die Situationisten die Herausgeber von ‚Arguments‘ am liebsten in „den Mülleimer der Geschichte" stecken. Was sie jedoch über alle Gegensätze hinweg eint, ist ihre Abgrenzung von der alten Linken, den traditionellen Sozialistischen, sozialdemokratischen und kommunistischen Parteien. Diese Abgrenzung hat zeittypische Anlässe, zu denen die Ereignisse in Prag 1948, der XX. Parteitag der KPdSU (1956), die Niederschlagung des Ungarnaufstandes, der Kalte Krieg und die Nichtproblematisierung der Atomrüstung in Ost und West gehören. Den Reformismus des demokratischen Sozialismus im Wohlfahrtsstaat und die Perversion des Kommunismus im Stalinismus gleichermaßen kritisierend, erachten sie das Handeln der traditionellen Linksparteien für realpolitisch befangen und unfähig, den Status quo politisch und sozial zu überwinden. Was sie anstreben, ist eine Transformation der bestehenden Gesellschaft auf der Grundlage einer umfassenden De- und Rekonstruktion der theoretischen, strategischen, taktischen und organisatorischen Grundlagen der Emanzipationsbewegungen der alten Linken in kritischer Auseinandersetzung mit der Entwicklung des Sozialismus und Kommunismus seit den zwanziger Jahren.

Die neue kognitive Orientierung, welche die freischwebenden Intellektuellen der Neuen Linken der traditionellen Linken entgegensetzten, läßt sich, idealtypisch zugespitzt, in fünf Punkten beschreiben:

– erstens in einer Neuinterpretation der marxistischen Theorie. Die Neue Linke akzentuiert unter Rückgriff auf die Marxschen Frühschriften primär den Aspekt der Entfremdung, nicht den der Ausbeutung und sucht in der Verbindung von Marxismus und Existentialismus sowie Marxismus und Psychoanalyse eine Öffnung der theoretischen Deutung, um das Marxismusverständnis aus der sklerotischen Erstarrung und Identifizierung mit dem institutionalisierten Marxismus zu lösen;

– zweitens in einem neuen Entwurf der sozialistischen Gesellschaftsordnung. Sozialismus kann, so die Überzeugung der Neuen Linken, sich nicht erschöpfen in der politischen und sozialen Revolution, in der Eroberung der Macht und der Verstaatlichung der Produktionsmittel, sondern muß die Entfremdung des Menschen in der Lebenswelt aufheben, in der Freizeit, in der Familie, in den sexuellen und sozialen Beziehungen des einzelnen;

– drittens in einer neuen Transformationsstrategie. Das Individuum soll aus der Unterordnung unter das Kollektiv gelöst werden. Veränderungen im kulturellen Bereich, so die Prämisse, müssen der sozialen und politischen Transformation vorausgehen, neue Kommunikations- und Lebensformen antizipatorisch und experimentell entfaltet werden durch die Schaffung von neuen Kulturidealen und deren Umsetzung in Subkulturen sowie Erprobung als „Gegenmacht" innerhalb der bestehenden Institutionen;

– viertens in einer neuen Organisationskonzeption. Aktion, nicht Organisation heißt die Devise. Die Neue Linke versteht sich als Bewegung, nicht als Partei. Als Bewegung folgt sie der Strategie der direkten Aktion in all ihren Facetten. Sie will Einsicht schaffen durch Handeln, die Öffentlichkeit aufrütteln durch Provokation und zugleich den Handelnden verändern in und durch die Aktion;

– fünftens in einer neuen Definition des Trägers sozialen Wandels. Als Träger des sozialen und kulturellen Wandels wird nicht mehr nur das Proletariat angesehen. Die Neue Linke geht davon aus, daß den Anstoß zur Transformation der Gesellschaft neue Trägergruppen geben: die (fachgeschulte) neue Arbeiterklasse, die junge Intelligenz, die gesellschaftlichen Randgruppen.

Das Ineinandergreifen von individueller und kollektiver Emanzipation, Gesellschafts- und Kulturkritik, kultureller und sozialer Revolution, das im Denken der Neuen Linken angelegt ist, macht die innere Spannung der 68er Bewegung aus und erklärt die kategoriale Vielfalt, mit der die Forschung sie etikettiert, als Ausdruck von Generationskonflikten, als neomarxistische, antibürokratische, kulturrevolutionäre oder sexualemanzipatorische Bewegung. Eine gesamtgesellschaftliche Utopie verbindet die verschiedenen Strömungen und ordnet sie ein in die Tradition der Sozialutopien von Saint-Simon, Fourier, Proudhon, Marx und Bakunin, doch erschöpft sich ihr utopischer Gehalt nicht in der Erwartung einer kollektiven Emanzipation der Arbeit von Fremdbestimmung. Sie artikuliert Themen und individualistische Werte, die heute als „postmaterialistisch" bezeichnet werden, und stellt gleichsam einen Übergang von den „alten" zu den „neuen sozialen Bewegungen" dar.

Die Entkoppelung des Emanzipationskampfes vom Proletariat verleiht der jungen Intelligenz ein Mandat, als neues „revolutionäres Subjekt" in die sozialen Auseinandersetzungen einzugreifen. Der Verzicht auf Organisation des neuen Trägers der Emanzipation sowie das Selbstverständnis als Bewegung, die durch Mobilisierung Druck auf das gesellschaftliche Institutionensystem ausübt, machen die Neue Linke offen und anschlußfähig für eine Vielzahl von Protestströmungen von der Antiatom- und Abrüstungsbewegung über die Bürgerrechtsbewegung bis zur Antikolonialbewegung. So wirken innerhalb der 68er Bewegung in den USA Studentenbewegung, Antivietnamkriegsbewegung und Civil Rights Movement zusammen, in der Bundesrepublik Ostermarschbewegung, Opposition gegen die Notstandsgesetze und Studentenbewegung. In Frankreich und Italien tritt eine Wechselwirkung zwischen

Studenten- und Arbeiterbewegung ein. Aber nur in Frankreich löst der Funke des Protestes, der von den Universitäten auf die Betriebe springt, 1968 einen Generalstreik aus. Nur hier wird die Neue Linke für kurze Zeit eine breite soziale Bewegung, welche nicht nur die Parteien der alten Linken gleichsam „von unten" herausfordert, sondern die V. Republik unter General Charles de Gaulle in eine ernste ökonomische und politische Krise stürzt.

Bleibt die Frage, wie die Impulse und Denkanstöße der intellektuellen Neuen Linken auf die Formierung der 68er Bewegungen wirkten. Denn die Clubs und Lesezirkel, welche die theoretischen Zeitschriften ins Leben riefen, waren zumeist, sieht man etwa vom Berliner Argument-Club ab, nur von kurzer Dauer. ‚Arguments‘ sowie ‚Socialisme ou Barbarie‘ stellten bereits 1962 bzw. 1966, d. h., lange bevor der Mobilisierungsprozeß begann, ihr Erscheinen ein. Als „movement of ideas" hat E. P. Thompson im Editorial der ‚New Left Review‘ die Neue Linke bezeichnet. Und in der Tat, was die intellektuelle Neue Linke in Bewegung setzte, waren Ideen. Sie öffnete den Marxismus für Strömungen der Zeit, legte fragmentarisch Positionen frei, an die das Denken der nächsten Generation anknüpfen konnte: gesellschaftliche Analysen, Zielprojektionen, neue Mobilisierungs- und Aktionsformen.

2. Neue Avantgarden: Die Students for a Democratic Society, der Sozialistische Deutsche Studentenbund, Situationisten und Gauchisten

Um die Sozialrelevanz der Ideen der intellektuellen Neuen Linken zu entfalten, gilt es, zwischen dem Entstehungs- und Wirkungskontext der Ideen zu unterscheiden und in Rechnung zu stellen, daß Ideen sich im Prozeß ihrer Ausbreitung – im Zusammentreffen mit neuen Kontextbedingungen sowie im Prozeß der Aneignung durch neue Trägergruppen – verändern sowie nicht beabsichtigte, sekundäre Folgen nach sich ziehen können. Geht man ferner davon aus, daß die kognitive Orientierung der intellektuellen Neuen Linken nicht isoliert, sondern in Verbindung mit anderen kollektiven Sinnkonstruktionen entstand, welche die Denkweisen, Einstellungen und Vorstellungen sozialer Gruppen prägten, lassen sich die Spannungen, aber auch Überlagerungen ermessen, die den Diffusionsprozeß kennzeichnen. So wurde der Prozeß der Aneignung und Vermittlung der Ideen der intellektuellen Neuen Linken durch neue Avantgarden nicht zuletzt beeinflußt durch die Existenz kommunistischer Parteien und den von ihnen – in Frankreich und Italien – geprägten politischen Teilkulturen.

Port Huron, Sommer 1962: Vierzig Meilen von Detroit entfernt, in Port Huron (Michigan), treffen am 11. Juni 1962, eingeladen von den Students for a Democratic Society (SDS), neunundfünfzig Delegierte amerikanischer Studentengruppen zusammen. Diskutiert werden soll ein Programmentwurf, der das offizielle Selbstverständnis der SDS zum Ausdruck bringen und zugleich eine Gesprächsgrundlage für diejenigen Gruppen liefern soll, die sich der kritischen Auseinandersetzung der SDS mit der sie umgebenden Gesellschaft anschließen wollen. Die programmatische Erklärung, angenommen nach nächtelangen Debatten, beginnt mit dem Satz: „Wir sind Menschen dieser Generation, aufgewachsen in zumeist bescheidenem Komfort, zur Zeit untergebracht in Universitäten, erfüllt vom Unbehagen an der Welt, die einmal unsere sein wird." Das Unbehagen, das die Studenten empfinden, deckt das ‚Port Huron Statement' unumwunden auf. Es richtet sich gegen die Degradierung der schwarzen Bevölkerung in den USA, die permanente Todesgefahr aller im Angesicht der Atombombe, den die weltweite Zerstörung schürenden militärisch-industriellen Komplex, die neue Armut in der Überflußgesellschaft sowie gegen die Unterernährung von zwei Dritteln der Menschheit, auf die Amerika einzig mit der weiteren Industrialisierung der Welt reagiere. Indes, nicht allein die Benennung des Unbehagens und seiner Ursachen, der Widersprüche zwischen dem alltäglichen Rassismus und dem Gleichheitspostulat der amerikanischen Verfassung, dem friedenspolitischen Anspruch und der Aufrüstung der USA, dem Überfluß in der Industriegesellschaft und der Unterernährung in den Entwicklungsländern, macht die Bedeutung der Erklärung aus. Sie liegt vielmehr in der Deutung, welche die SDS heranziehen, um die Widersprüche zu erklären: Einen Zusammenhang zwischen dem Status quo und der Apathie, welche die amerikanische Gesellschaft kennzeichne, sowie zwischen der Apathie und dem Mangel an Partizipationschancen und Alternativen zur bestehenden Gesellschaft herstellend, greifen sie Elemente der Gesellschaftskritik der britischen New Left auf.

Vermittelt wird das Gedankengut durch die Schriften C. Wright Mills, der mit einem offenen Brief ('Letter to the New Left') in die Debatten der 'New Left Review' eingegriffen hat, über direkte persönliche Kontakte zur Londoner Gruppe verfügt und deren Bild der amerikanischen Gesellschaft prägt. Seine Analysen 'White Collar: The American Middle Classes' (1950), 'The Power Elite' (1956), 'The Causes of World War III' (1958) sowie sein offener Brief gehen direkt in das 'Port Huron Statement' ein, bilden sie doch, neben den Schriften von Albert Camus, die zentralen Bezugstexte desjenigen, der mit der Vorbereitung des Entwurfs beauftragt ist: Tom Hayden, 23, Student der Soziologie in Ann Arbor (Michigan), der gerade seine Magisterarbeit über Mills schreibt. Mills ist kein Marxist und aus Sicht der Intellektuellen im Umkreis der 'New Left Review' „on the left but not of the left" (Miliband). Als unabhängiger radikaler Denker, der Dogmen jeglicher Art verabscheut und mit Vorliebe bricht, wird er von den Intellektuellen der New Left jedoch geschätzt und nach seiner Intervention in die Debatte um das historische Subjekt neidlos als einer der Ihren anerkannt: als „the big daddy of the New Left". Radikaler noch als die Redakteure der 'New Left Review' hat Mills mit dem Glauben an die Arbeiterklasse als revolutionärem Subjekt im Transformationsprozeß der Gesellschaft gebrochen und als neue Avantgarde die Jugend, die junge Intelligenz ausgemacht. Die Students for a Democratic Society folgen ihm in diesem Punkt bedingungslos nach.

Die Jugend als neuen Träger und die Universitäten als „potentielle Basis und Agentur einer sozialen Wandel herbeiführenden Bewegung" ansehend, setzen sie sich dafür ein, von den Universitäten aus den Versuch zu machen, gegen die Indifferenz in der Gesellschaft vorzugehen, die politisch-sozialen und ökonomischen Ursachen privater Schwierigkeiten und öffentlicher Mißstände aufzuzeigen sowie Alternativen und Veränderungsmöglichkeiten zu entfalten. Als Mittel auf dem Weg zur Veränderung der Gesellschaft propagieren sie: erstens als Alternative zur Apathie die aktive Partizipation durch Schaffung einer „participatory democracy", welche die Indifferenz und Beziehungslosigkeit, exemplarisch zum Ausdruck gebracht in Camus' ‚Der Fremde', aufheben soll zugunsten eines persönlichen, direkten Engagements in basisdemokratisch organisierten Projekten; zweitens die Schaffung einer militanten New Left, bestehend aus jungen Leuten, die auf dem Campus agieren, um die in Studentenkreisen als besonders verbreitet angesehene „Apathie gegenüber der Apathie" zu brechen und sich außerhalb der Universitäten einzusetzen, um eine Koordination ihrer Aktionen mit der amerikanischen Friedens-, Bürgerrechts- und Arbeiterbewegung sowie internationalen Kooperationspartnern herbeizuführen. Nicht ohne Pathos schließt das ‚Port Huron Statement', das den Untertitel ‚Agenda für eine Generation' erhält, mit dem Satz: „Wenn es scheint, daß wir, wie vielfach gesagt worden ist, das Unerreichbare suchen, dann erklärt, daß wir dies tun, um das Unvorstellbare zu verhindern."

Frankfurt, Herbst 1962: Die 22. Delegiertenkonferenz des 1946 gegründeten Sozialistischen Deutschen Studentenbundes, die am 4./5. Oktober in Frankfurt tagt, wird geprägt von zwei Themen: dem Verhältnis von Theorie und Praxis sowie der Debatte über die SDS-Hochschuldenkschrift. Seit November 1961 durch einen Unvereinbarkeitsbeschluß des Parteivorstands von der Sozialdemokratischen Partei getrennt, ist der SDS auf der Suche nach einem neuen theoretischen Selbstverständnis und Profil. In kritischer Distanz zu der auf dem Godesberger Parteitag der SPD (1959) vollzogenen Abkehr von der marxistischen Tradition stehend, akzentuiert der SDS die sozialistische Theoriearbeit als Aufgabe des internen Selbstverständigungsprozesses. „Unsere Theorie sollte", so

Elisabeth Lenk in ihrem Referat auf der Delegiertenkonferenz des SDS 1962, „einem Scheinwerfergerät gleichen, dessen Licht stark genug ist, ein Stück des Weges in die Zukunft zu erhellen, das aber zugleich, auf die gegenwärtige Gesellschaft gerichtet, grell ihre Risse, Sprünge, jahrhundertealten Staub, Muff und Spinngeweben beleuchtet", damit wir dem Anspruch gerecht werden, „wirklich Neue Linke zu sein". Parallel zur Rezeption von Theorie- und Strategieansätzen der New Left/Nouvelle Gauche, die den SDS zum Kristallisationskern einer studentischen Neuen Linken in der Bundesrepublik werden läßt, setzt nach der Delegiertenkonferenz eine Wiederentdeckung der Schriften der Klassiker des Sozialismus (Marx, Bakunin, Luxemburg, Lukács, Korsch), der Gesellschaftstheorie der Frankfurter Schule und der Sexualtheorie Wilhelm Reichs ein, vollzieht sich mithin eine Wiederanknüpfung an einen in den dreißiger Jahren abgebrochenen und in der Nachkriegszeit nicht wieder aufgenommenen theoretischen Diskurs.

Ein mit dem ‚Port Huron Statement' vergleichbares Programm geht aus der Theoriedebatte nicht hervor, der SDS gelangt über einen „Entwurf zu einer programmatischen Erklärung" nicht hinaus. Entfaltet, debattiert und überarbeitet wird jedoch eine Hochschul-Denkschrift zur Demokratisierung der Universität, welche die Außenwahrnehmung des Verbandes prägt. Kritisiert werden in dieser Denkschrift die Reduktion von Bildung auf Ausbildung, d. h. „die Verdinglichung des Wissens zum Stereotyp, zur bloßen Parole des know how", die „Industrialisierung" der Hochschule durch Einführung einer an der Betriebsorganisation der Wirtschaft und Industrie orientierten straffen Institutsdisziplin, die Oligarchie der Ordinarien, die Degradierung der Seminare von Foren der Erkenntnis und Teilnahme am Forschungsprozeß zu Stätten der „Aufnahme fertig bearbeiteter Denkresultate" (in Form von Referaten von Studenten und Monologen der Professoren) sowie der Erwerb von „Berechtigungsscheinen", die das Privileg einer höheren akademischen Stellung im Berufsleben sichern und das Studium auf das „Machen von Karrieren" (Marx) konzentrieren.

Erstrebt wird eine Erweiterung der Partizipationschancen der Studenten von der Seminar- über die Instituts-, Fakultäts- bis zur Senatsebene der Universität, eine Demokratisierung der Selbstverwaltungseinheiten der Universität mit dem Ziel der Überwindung der autoritäten Betriebs- und Verfassungsverhältnisse sowie der „Aufhebung aller sachfremden Herrschaftspositionen und Abhängigkeitsverhältnisse". Wenigstens an der Hochschule soll der Versuch gemacht werden, die in den Verfassungsnormen postulierten Prinzipien der sozialen Demokratie zu erfüllen. Parallel zu seinem Engagement zur Demokratisierung der Hochschule setzt sich der SDS im Studentenmilieu sowie außerhalb des Campus dafür ein, eine Koordination der Opposition gegen die von der Regierung seit 1959 vorbereitete parlamentarische Annahme von Notstandsgesetzen herbeizuführen: zunächst durch eine Koalition mit anderen Studentenverbänden – dem Sozialistischen Hochschulbund (SHB), dem Liberalen Studentenbund Deutschlands (LSD) sowie dem Bund Deutsch-Israelischer Studenten (BDIS), sodann durch eine Vernetzung mit der von Rechtsexperten, Intellektuellen und Teilen der Gewerkschaften seit Beginn der sechziger Jahre geführten Antinotstandsopposition. Wie die amerikanischen SDS beginnt auch der deutsche SDS sich als Kern einer außerparlamentarischen Bewegung zu definieren, die andere in der Gesellschaft vorhandene Protestströmungen zusammenführt.

Straßburg, Herbst 1966: An der Universität wird im Oktober von einer der Situationistischen Internationalen nahestehenden Gruppe eine Broschüre mit dem Titel ‚Über das Elend im Studentenleben' verteilt, betrachtet unter seinen ökonomischen, politischen, psychologischen, sexuellen und besonders intellektuellen Aspekten. Die Broschüre übt vehemente Kritik an den Studenten. Weit davon entfernt, eine kritische Avantgarde zu sein, seien sie zu „Kadern der Großindustrie" degradiert. Angepaßt in ihrem Studienalltag an die Funktionsmechanismen des modernen Kapitalismus, der alle Sektoren der Gesellschaft „kolonialisiere", reproduzierten sie auch in ihrem Privatleben bis hinein in ihre sexuellen Beziehungen die allgemeinen Strukturen der Klassengesellschaft. Zwar kompensierten sie ihre Lage durch einen Lebensstil kultivierter Armut, ihr Bohemeleben bleibe aber ein Schein. Kommunikationslosigkeit zeichne die verschiedenen studentischen Zirkel aus sowie der Konsum kultureller Ware, die zum Opium werde, sich dem Alltag zu entziehen. In der Kritiklosigkeit gegenüber den „Stars" des kulturellen Lebens spiegele sich die Kritiklosigkeit wider, die auch den Universitätsalltag präge. Extreme Entfremdung zeichne daher, so das Fazit, das Studentenleben aus bei gleichzeitiger maßloser Selbstüberschätzung als Ausdruck falschen Bewußtseins.

Als Ausweg aus der Misere bietet die Broschüre die These an, daß die „extreme Entfremdung … nur durch die Kritik der ganzen Gesellschaft kritisiert werden kann". Insofern die Studenten Produkte der modernen Gesellschaft seien, könne die Aufhebung ihrer Entfremdung nur Teil eines gesamtgesellschaftlichen Transformationsprozesses sein, der nur durch die „radikale Kritik an der modernen Welt" in Gang gesetzt werden könne. Als Träger der Kritik benennt die Broschüre die Jugend, welche gegen die ihr aufgezwungene Lebensweise rebellierte und im Prozeß der Rebellion Elemente einer „umfassenden Subversion" der Gesellschaft mitführte. Doch kommt die Broschüre zu dem Schluß: „Der rebellierende Teil der Jugend drückt die reine Verweigerung ohne das Bewußtsein einer Perspektive aus." Orientierung konnte die „radikale Kritik" der Jugend aus der Sicht der Situationistischen Internationale nur durch das Proletariat erfahren, aber nicht durch die bestehende Arbeiterbewegung, sondern durch ein über Arbeiterräte und den Aufbau „generalisierter Selbstverwaltung" neu organisiertes Proletariat. Dieses konnte zur Transformation der Gesellschaft gelangen über die Kritik der Warengesellschaft und des alltäglichen Lebens sowie über die freie „Neukonstruktion" des Lebens durch das „Spiel". Die „proletarischen Revolutionen", so das Schlußwort, „werden Feten sein, oder sie werden nicht sein, denn das von ihnen angekündigte Leben wird selbst unter dem Zeichen der Fete geschaffen werden. Das Spiel ist die letzte Rationalität dieser

Feten, Leben ohne tote Zeit und Genuß ohne Hemmnisse sind die einzigen anerkannten Regeln." Eingeleitet wird die Verteilung der Broschüre am 26. Oktober 1966 mit einer Aktion: der Störung der Antrittsvorlesung eines Professor für Kybernetik durch 12 Straßburger Studenten, die den Vortragenden mit Tomaten bewerfen, um die ihm angelastete „Programmsteuerung junger Kader" zu kritisieren. Stolz verzeichnet die Situationistische Internationale, daß über diese Aktion selbst eine Turiner Tageszeitung berichtete.

Zum Spektrum der Studentengruppen, die in der ersten Hälfte der sechziger Jahre ihre Verbindung mit den Studenten- und Jugendorganisationen der Parteien der alten Linken lösten, gehören in Westeuropa und den USA zahlreiche Abspaltungen und Neugründungen trotzkistischer, marxistisch-leninistischer (maoistischer), operaistischer und situationistischer Ausrichtung. Was die Students for a Democratic Society und den Sozialistischen Deutschen Studentenbund auszeichnete, war, daß sie ideologische Fragmentierungen und organisatorische Abschottungen, „Grüppchendenken" und Sektenbildung zu überwinden suchten und sich als Kern (Avantgarde) einer sozialen Bewegung betrachteten, die auf Aufklärung und Mobilisierung durch Aktion, nicht Organisation ausgerichtet war. Die Mitglieder der studentischen Gruppen gehörten einer anderen Generation an als die intellektuellen Vordenker der Neuen Linken. Geboren Ende der 30er oder zu Beginn der 40er Jahre, hatten sie andere Sozialisations- und politische Erfahrungen gemacht. Unter den Bedingungen des Kalten Krieges und eines wirtschaftlich prosperierenden Wohlfahrtsstaates knüpften sie jedoch, konfrontiert mit einer Gesellschaft, in der das Denken in Alternativen zum Status quo eingefroren und blockiert erschien, an die Überlegungen der Intellektuellen in den Zirkeln der Neuen Linken an, um ihren eigenen Emanzipationsanspruch zu formulieren und mit neuen Mobilisierungstechniken durchzusetzen.

II. Aufklärung durch Aktion:
Das Praktischwerden der Theorie

Ohne kontinuierliche Mobilisierung bleibt der Protest einer sozialen Gruppe eine Episode, ein Aufruhr, eine Revolte. Aber kontinuierliche Mobilisierung ist schwierig für schwach organisierte Kollektive. Setzt sie doch voraus, Individuen über eine gewisse Dauer für die Ziele der Bewegung zu engagieren. Aktionen, Kampagnen und Projekte sind Mittel, Aktivisten zu binden, Sympathisanten zu gewinnen und zugleich die Aufmerksamkeit der Öffentlichkeit zu erringen, doch garantieren sie nicht zwangsläufig einen Mobilisierungserfolg. Letzterer beruht vielmehr auf einer Wechselwirkung von objektiven und subjektiven Faktoren oder, anders formuliert, auf der Vermittlung von struktureller Unzufriedenheit, Zielorientierung und Handlungsbereitschaft. Es sind die Trägergruppen der studentischen Neuen Linken, die im Prozeß der Formierung der 68er Bewegung diese Aufgabe der Mobilisierung übernehmen.

1. Unruhe an den Universitäten: Berkeley und Berlin 1964/65

Die Students for a Democratic Society hatten sich nach der Verabschiedung des ‚Port Huron Statements' einerseits projektorientierter Stadtteilarbeit zugewandt, d. h. in Ghettos Hilfe zum Aufbau von Selbsthilfeorganisationen geleistet, andererseits an Kampagnen der schwarzen Bürgerrechtsbewegung mitgewirkt, die darauf zielten, die Rassensegregation in Bussen, Restaurants und Zügen zu beseitigen oder die schwarze Bevölkerung der Südstaaten in Wählerlisten zu registrieren, um deren Teilnahme am politischen Prozeß zu ermöglichen. Der Sozialistische Deutsche Studentenbund hatte sich, sieht man von seinem Engagement zur Vernetzung der Opposition gegen die Notstandsgesetze ab, stärker theoretisch orientiert und Arbeitskreise organisiert, in denen die theoretischen

Grundlagen des Sozialismus oder ökonomisch-historische, soziale und politische Fragestellungen entfaltet und debattiert wurden. Einfluß und Wirkungsmacht erlangten die Programmatiken beider Verbände durch Vorgänge, die sie nicht inszenierten, die ihnen aber die Chance gaben, sich mit ihren Deutungen und Parolen zu profilieren und Anhänger zu gewinnen.

Berkeley, September 1964: Am Anfang steht ein Verbot: Büchertische mit Literatur der Bürgerrechtsbewegung zum Zwecke der Geldsammlung und Mitgliederwerbung dürfen nicht mehr auf dem Campus errichtet werden. Die Begründung der Universitätsverwaltung ist eine technische: Das Gelände, auf dem die Tische errichtet worden seien, gehöre nicht der Universität, sondern der Stadt Berkeley. Aber auch seitens der Universitätsverwaltung ist die seit Monaten wachsende Zahl der Tische mit Argwohn registriert worden. Die Intervention des Verlegers der regionalen Zeitung ‚Oakland Tribune‘, die Universität möge die Tische verbannen, ist daher auf eine bereits vorhandene Bereitschaft gestoßen, gegen die studentische Aufklärungsaktion einzuschreiten. Ein Verbot wird erlassen, doch es bleibt ohne Wirkung. Eine Gruppe von 30 bis 50 Studenten setzt die Aktion fort. Anweisungen „akademischer Bürokraten" zu folgen sind sie, die sich in den Sommerferien im Rahmen der Bürgerrechtsbewegung in Mississippi engagiert haben, nicht bereit. Aber auch mahnende Worte der Dekane, die in den Konflikt einzugreifen versuchen, verhallen. So ruft die Universitätsverwaltung am 1. Oktober 1964 die Polizei, um einen Büchertisch zu beseitigen und damit ihr Verbot durchzusetzen. Die Polizei nimmt einen Studenten fest. Binnen weniger Sekunden löst ihr Zugriff eine spontane Reaktion unter den umstehenden Studierenden aus. Während die Polizisten noch bemüht sind, den Studenten in das Polizeiauto zu zerren, umzingeln seine Kommilitonen das Fahrzeug und setzen sich nieder. Mit ihrem Sit-in setzen sie die Polizei fest. Doch mehr als das: Sie übertragen, wie der Fortgang der Ereignisse zeigt, Aktionsformen der Bürgerrechtsbewegung auf den Campus.

Ein Student der Philosophie, Mario Savio, 22, zieht seine Schuhe aus und klettert auf das Dach des Polizeiautos, um von dort aus den Studenten das polizeiliche Vorgehen zu erklären. „Sie sind Familienväter", ruft er ihnen zu, „sie müssen ihren Beruf ausüben." Und er fügt hinzu: „Wie Adolf Eichmann" (Rorabaugh: 22). Auf Hannah Arendts Analyse ‚Die Banalität des Bösen' anspielend, geht er davon aus, daß der von ihr konstatierte Rückzug ins Private und damit die nicht wahrgenommene öffentliche Verantwortung der Staatsbürger der gesellschaftliche Hintergrund ist, der die Polizisten zu Handlangern nicht hinreichend kontrollierter staatlicher Institutionen macht. Unterdrückt werde, was die Verfassung eigentlich jedem Staatsbürger garantiere, Meinungs- und Redefreiheit sowie das Engagement für die den Gleichheitsgrundsatz einklagende Bürgerrechtsbewegung. Savio fordert die Studenten auf zu verhindern, daß die Polizei den festgenommenen Kommilitonen abtransportiert. Seine Worte treffen die Einstellung der am Sit-in beteiligten Studenten. Herbeigerufen von der Universitätsverwaltung, marschieren einige Hundertschaften von Polizisten auf, um ihre Kollegen im Polizeiauto zu befreien. Sie umkreisen die am Boden sitzenden Studenten. Die beiden Kreise bestehen 32 Stunden lang, bis auf dem Verhandlungswege erreicht ist, daß die Universitätsverwaltung keine Anzeige oder Sanktionen gegen den festgenommenen Studenten vornimmt und die am Sit-in beteiligten Studenten im Gegenzug auf weitere illegale Aktionen verzichten. Ein Komitee, zusammengesetzt aus Vertretern der Verwaltung, der Fakultäten sowie der Studenten, soll neue Regeln für das politische Engagement auf dem Campus erstellen. Die Polizisten ziehen vom Campus ab. Zurück bleibt, zusammengebracht nicht zuletzt durch das Erscheinen der Polizei auf dem Campus, der Kern der Free Speech Movement, das sich in den folgenden Wochen auf dem Campus ausbreitet und auf andere Universitäten überspringt.

Die Kritik der Free Speech Movement geht über die Forderung nach Redefreiheit weit hinaus. In Frage gestellt werden die Erziehungsideale und Ausbildungspraktiken einer Universitätsreform, die der Präsident der Universität Clark Kerr in dem Begriff „Multiversity" zusammengefaßt hat. Ausgehend von einem steigenden Bedarf an akademisch qualifizierten Führungskräften in Regierung, Verwaltung und Industrie, zielt Kerrs Konzeption der „Multiversity" darauf, die Universitätsausbildung umzugestalten, so daß sie der Nachfrage nach spezialisierten Fachkräften gerecht werden kann. Die Erreichung dieses Ziels setzt, aus seiner Sicht, eine enge Kooperation und Verknüpfung von Universität, Regierung und Wirtschaft voraus, der unter seiner Präsidentschaft seit 1958 bereits Rechnung getragen worden ist durch die Einbeziehung von Vertretern staatlicher Institutionen und Wirtschaftsunternehmen in den Verwaltungsrat der Universität sowie durch die Übernahme von zahlreichen staatlichen und wirtschaftlichen Forschungsvorhaben. Aus studentischer Sicht stellt sich, wie illustrativ auf einem Flugblatt abgebildet ist, Kerrs Konzeption der „Multiversity" als ein Versuch dar, die akademische Jugend im Verlauf ihres Studiums in handhabbare und vielseitig verwendbare IBM-Cards zu verwandeln. Ausgehend von der Prämisse, daß die Universität „on the world, but not of the world" ist, d.h. ein Ort, an dem kritisch über die bestehende Gesellschaft nachgedacht werden kann und soll, kritisieren sie die Instrumentalisierung der Bildung zu Ausbildungszwecken sowie die Reglementierung und Bevormundung der Studenten bis in ihr privates Leben hinein.

Die Students for a Democratic Society, die auf dem Campus von Berkeley über eine lokale Gruppe verfügen, treten in das Exekutivkomitee der Free Speech Movement ein. Zusammengesetzt aus je zwei Repräsentanten jeder der auf dem Campus vertretenen politischen oder religiösen Studentengruppen, strebt es die Fortführung und Koordination der Aktionen an. Eine frühe Sozialisationserfahrung, die den Kern der Aktivisten auszeichnet, facht die Aufrechterhaltung ihres Engagements an. Aufgewachsen in Elternhäusern, die von den antikommunistischen Maßnahmen der McCarthy-Ära betroffen waren, trauen sie den Zusagen Kerrs nicht, der gegenüber der Presse die Studenten zu roten Unruhestiftern erklärt. Zudem sind noch weitere acht Kommilitonen wegen Vorgängen im Rahmen der Büchertischaktion im September von Disziplinarmaßnahmen bedroht.

So wird auf einem zentralen Platz inmitten der Universität jeden Mittag die Agitation für das Recht auf freie Meinungsäußerung und Behandlung der Studenten als gleichberechtigte Staatsbürger weitergeführt. Diese Aktionen, das Scheitern der Kommission, neue Regeln für das politische Engagement auszuarbeiten, sowie die Eröffnung neuer Disziplinarverfahren gegen Studenten lassen die Spannungen auf dem Campus wachsen. Der Gouverneur von Kalifornien schaltet sich ein, als ein Polizist auf dem Campus die Meldung macht, daß die Studenten das Büro des emeritierten Präsidenten der Universität, Robert Gordon Sproul, verwüstet hätten. Er verfügt, die Verantwortlichen festzunehmen, nicht wissend, daß das, was der Polizist wahrgenommen hat, das normale kreative Chaos im Büro des ehemaligen Präsidenten ist. Die Antwort der Studenten ist die Besetzung aller Flure des nach dem Präsidenten benannten Universitätsgebäudes Sproul Hall. Die Revolte der Studenten von Berkeley breitet sich auf dem Campus aus. Mitbedingt durch das widersprüchliche Verhalten der Universitätsverwaltung, ihr Schwanken zwischen Kooperationsangeboten und Sanktionsdrohungen, sowie durch das Eingreifen der Polizei, gewinnt die Free Speech Movement an Unterstützung. Die Übertragung der lokalen Initiative auf andere Universitäten wird zur Aufgabe der SDS, die als einzige amerikanische Studentenorganisation über ein nationales Netzwerk von Gruppen sowie mit dem ‚Port Huron Statement‘ über ein Programm verfügen, das ihnen Profil verliehen und sie bekannt gemacht hat. Ihre Agitation für eine, wie es auf einem SDS-Button heißt, „Freie Universität in einer Freien Gesellschaft" lenkt das Engagement der Mitglieder von den Stadtteilprojekten zurück auf die Universität und läßt die Mitgliederzahlen wachsen.

Berlin, Mai 1965: Der Rektor der Freien Universität Berlin untersagt der Studentenschaft, eine für den 7. Mai 1965 geplante Veranstaltung unter dem Titel ‚Restauration oder Neubeginn – die Bundesrepublik zwanzig Jahre danach' im Auditorium maximum durchzuführen, mit der Begründung, der als Redner eingeladene Publizist Erich Kuby habe die FU in der Vergangenheit „verunglimpft". Dieses „Hausverbot", das sich auf eine Äußerung Kubys stützt, der Name Freie Universität bringe durch seine antithetische Beziehung auf die Universität jenseits des Brandenburger Tores ein äußerstes Maß an Unfreiheit zum Ausdruck, wird vom Allgemeinen Studentenausschuß (AStA) als Einschränkung der Freiheit der Rede und der Wahl der Diskussionspartner durch die Studentenschaft interpretiert. Auf dem Verwaltungswege, so ein Flugblatt des AStA, an dessen Spitze mit Wolfgang Lefèvre und Peter Damerow jeweils ein Mitglied des SDS und des Argument Clubs stehen, werde versucht, politische Rechte der Studentenschaft zu kassieren. Der AStA fordert die Studentenschaft auf, gegen diesen „autoritären Akt" aufzubegehren. Er verweist auf das Vorbild der Studenten von Berkeley: Deren Forderung, daß „alle Studenten ein Recht haben, jede Person als Redner an jedem öffentlichen Ort auf dem Campus, zu jeder Zeit und zu jedem Thema zu hören, insofern sich damit keine Verkehrsprobleme und Störungen des Unterrichts verbinden", wird als Forderung angesehen, die sich der AStA der FU Berlin zu eigen macht.

Die geplante Veranstaltung findet statt. Zwar nicht auf dem Campus der FU, aber im Studentenhaus der TU Berlin am Steinplatz. Das Problem bleibt jedoch bestehen. Um gegen die Einschränkung des Grundrechts auf Meinungs- und Informationsfreiheit zu protestieren, rufen die Studentenverbände an der FU für den 10. Mai, ebenfalls nach amerikanischem Vorbild, zur Bildung einer „Picketing-line", einer Plakataktion, auf, welche die Forderungen der Studenten („Wir wollen eine FREIE UNIVERSITÄT") und ihre Handlungsmaximen („Kämpft gegen den Meinungsterror der Universitätsverwaltung") zum Ausdruck bringen soll. Der Schriftsteller Günter Grass, eingeladen, zur „Meinungsfreiheit in der Bundesrepublik" zu sprechen, solidarisiert sich mit den Studenten, indem er es ablehnt, in den Räumen der FU aufzutreten, solange ein

Redeverbot gegen Erich Kuby besteht. Der Konflikt weitet sich aus, als ein Assistent, der Politologe Ekkehart Krippendorff, unter Verweis auf ein Gerücht am 14. Mai gegenüber einer Berliner Tageszeitung erklärt, das Rektorat habe bereits die Einladung Karl Jaspers' als Redner zum 8. Mai in der FU Berlin verhindert. Wenngleich Krippendorff seine Aussage einen Tag später korrigiert, da sich herausgestellt hat, daß Jaspers aus gesundheitlichen Gründen die Einladung abgesagt hat, wird sein Anstellungsvertrag nicht verlängert. Am 18. Mai treten 80% der Studenten am Institut für Politische Wissenschaft in einen befristeten Vorlesungsstreik. Die Studentenschaft ist in Bewegung gekommen.

Das Hauptaugenmerk des Bundesvorstandes des SDS in Frankfurt ist jedoch, während die Proteste an der FU Berlin aufkeimen, auf ein anderes Problem gerichtet, das gleichermaßen die Grundrechtsproblematik aufgreift, allerdings auf einer anderen als der universitären Ebene. Es geht um die Einschränkung der Grundrechte infolge des von der Bundesregierung vorgelegten Entwurfs zur Einfügung von Notstandsgesetzen in die Verfassung: um die Pressefreiheit und das Streikrecht sowie um die Möglichkeiten einer parlamentarischen Kontrolle der Exekutive unter den Bedingungen des Notstands. Der SDS hat, unterstützt vom SHB, LSD und der BDIS, für den 30. Mai in Frankfurt zu einem Kongreß ‚Notstand der Demokratie' aufgerufen, an dem sich Vertreter der IG Metall, Professoren (darunter Karl Dietrich Bracher, Thomas Ellwein, Jürgen Habermas und Helmut Ridder) sowie Redakteure und Publizisten beteiligen. Die Schlußkundgebung auf dem Universitätshof in Frankfurt führt 2000 Personen zusammen. Sie symbolisiert einen ersten Erfolg der auf Vernetzung der außerparlamentarischen Kräfte angelegten Strategie des Verbandes, doch bleibt dieser Erfolg zunächst punktuell, eine dauerhafte Mobilisierung zeichnet sich nicht ab, da die SPD kurz vor der Veranstaltung ihre Zustimmung zu dem vorliegenden Entwurf der Notstandsgesetze zurückgenommen hat.

Vergleicht man die Vorgänge in Berkeley und Berlin, klagen die Studenten an beiden Orten zunächst verfassungsrechtlich garantierte Rechte ein, deren Ausübung sie auch auf dem Campus beanspruchen. Den Widerspruch zwischen Verfassungsnorm und Verfassungswirklichkeit artikulierend, begehren sie gegen den autoritären Stil in der Verwaltung der Universität auf. Die Universität ist jedoch für die Trägergruppe der Free Speech Movement, die amerikanischen SDS und den deutschen SDS lediglich ein Spiegel gesamtgesellschaftlicher Verhältnisse, die es zu verändern gilt. Die Frage ist: Wo beginnen? Sowohl die amerikanischen SDS als auch der deutsche SDS verfolgen eine Doppelstrategie, d. h., sie setzen mit Aktionen auf dem Campus an, um einen Bewußtseinsprozeß unter den Studenten einzuleiten, diese zu aktivieren und zu politisieren, zielen zugleich aber über den universitären Raum hinaus. Bis 1965 überwiegt unter den amerikanischen SDS die Orientierung an der Bürgerrechtsbewegung, wie sie von der von Martin Luther King geführten Southern Christian Leadership Conference (SCLC) und dem Committee for Racial Equality (CORE) repräsentiert wird. Diese Orientierung sowie die Zusammenarbeit der SDS und zahlreicher Aktivisten der Free Speech Movement mit der schwarzen Studentenorganisation SNCC beruhen auf der Annahme, die Diskriminierung der schwarzen Bevölkerung könne überwunden werden durch den Aufbau von Selbsthilfeorganisationen, den Abbau von Rechtsungleichheit und ungleichen Bildungschancen sowie die Veränderung von Einstellungen und Mentalitätsstrukturen, die der Aufhebung der Segregation entgegenstehen. So unterschiedlich die Aktionen und Projekte im einzelnen sind, in ihrem langfristigen Ziel gleichen sie sich: der gleichberechtigten Integration der schwarzen Bevölkerung in die amerikanische Gesellschaft durch Ausweitung der Partizipationschancen im sozialen, politischen und kulturellen Bereich.

Auf Partizipation ist auch die Strategie der SDS auf dem Campus ausgerichtet. Indes wird die Erreichung dieses Ziels weniger über den Aufbau von Mitbestimmungsstrukturen innerhalb der Universität als vielmehr durch Einrichtungen erstrebt, in denen studentische Selbstbestimmung und die Selbstgestaltung des Studiums experimentell erprobt werden können. Unter dem Einfluß der Unruhen auf dem Campus in Berkeley entfalten und propagieren die SDS im Frühjahr 1965 das Konzept der „Free University", verstanden als Gegeninstitution zur bestehenden „unfreien" Universität. Basierend auf der gedachten Ordnung einer „Participatory Democracy", sind die Free Universities gekennzeichnet durch vollkommene Offenheit des Zugangs, der an keinerlei Bildungspatente gebunden ist, durch Offenheit des Themenkatalogs – alles kann angeboten und unterrichtet werden, was als relevant angesehen wird – sowie durch eine Offenheit in der Rekrutierung des Lehrpersonals – fast jeder kann unterrichten. Die Free Universities sollen Orte der Erprobung alternativer Curricula sein, Studenten zur Verantwortung in der Gestaltung ihres Studiums anleiten und zugleich den Ausgangspunkt einer neuen linken Bewegung in der Gesellschaft bilden. Modellhaft zunächst in San Francisco, Philadelphia und Berkeley errichtet, verbreiten sich die Free Universities schnell im ganzen Land und bald auch über die Landesgrenzen hinaus.

Anders als die amerikanischen SDS setzt der deutsche SDS zunächst jedoch auf die Ausweitung der Mitbestimmung der Studenten innerhalb der bestehenden Universität. Die Leitideen der Hochschuldenkschrift werden sukzessive in Aktion und universitätsinterne Gesetzesinitiativen überführt. Bereits im Oktober 1965 wird vom AStA der FU Berlin der Entwurf eines Hochschulgesetzes in Auftrag gegeben, an dessen Erarbeitung der Mitverfasser der SDS-Hochschuldenkschrift, Ulrich K. Preuß, mitwirkt. Auf dem ersten Sit-in an der FU Berlin am 22. Juni 1966 vor dem Versammlungssaal des Akademischen Senats, an dem sich 3000 Studenten beteiligen, wird eine drittelparitätische Besetzung aller Kollegialorgane der Universität mit Professoren, Assistenten und Studenten gefordert. Auch die Forderung nach einem „politischen Mandat", mit dem die Studentenschaft gegenüber der politischen Öffentlichkeit einen Status einklagt, dem zufolge sie dazu berufen ist, Stellung zu nehmen nicht nur zu hochschulpolitischen, sondern gesamtgesellschaftlichen Problemen, geht von der Stärkung der Rechte der Studentenschaft als Teilkörperschaft der Gesamtuniversität aus. Zugespitzt formuliert: Während die amerikanischen SDS auf die ersten Unruhen an der Universität mit der Gründung von Gegeninstitutionen reagieren und auf Selbstorganisation setzen, geht der deutsche SDS vom Ausbau einer Gegenmacht im Rahmen bestehender Institutionen aus, die den Studenten die Chance der Mitorganisation und demokratischen Mitwirkung garantieren soll. Die Tätigkeit der Studentenschaft wird in ihrem Kern nicht als soziale Selbstverwaltung einer Personengruppe angesehen, sondern als Teilnahme der Lernenden am Wissenschaftsprozeß und an der wissenschaftlichen Öffentlichkeit der Hochschule, die als solche nicht an außerwissenschaftliche Begrenzungen gebunden ist. Partizipation innerhalb der Hochschule erstrebend, setzt sich der SDS für dieses Ziel auch außerhalb der Hochschule ein. Verglichen mit der offensiven Strategie, mittels derer die amerikanischen SDS die Geltung der Bürgerrechte für die diskriminierte schwarze Bevölkerung durchgesetzt haben, verfolgt der deutsche SDS im Rahmen der Antinotstandsopposition zunächst eher eine defensive Strategie – geht es doch darum, eine Einschränkung der Grundrechte vor allem der Gewerkschaften sowie der Kontrollrechte des Parlaments im Fall des Notstands abzuwehren.

Beide Studentenverbände nehmen die, aus ihrer Sicht, bedrohte Meinungsfreiheit, verstanden als Recht, auf dem Campus zu politischen Fragen Stellung zu beziehen, zum Anlaß, ihre Vorstellungen von einer Demokratisierung der Hochschulen und der Gesellschaft zu entfalten. Verankert in unterschiedlichen politischen Kulturen, wählen sie divergierende Strategien, ihr Ziel zu erreichen. Der deutsche SDS, beeinflußt von der gewerkschaftlichen Leitidee der Mitbestimmung, schlägt eine auf Integration und Konsens ausgerichtete Strategie zur Ausweitung der Partizipationschancen vor, die amerikanischen SDS, orientiert an der Leitidee der staatsfreien Selbstorganisation sowie den Praktiken der Bürgerrechtsbewegung, eine auf symbolische Konfrontation ausgerichtete Strategie. Die Partizipations- und Transformationsstrategien beider Studentenverbände innerhalb und außerhalb des Campus werden radikal in Frage gestellt und zum Teil revidiert durch eine Entwicklung, die weder die Initiatoren des ‚Port Huron Statements‘ noch diejenigen der Hochschuldenkschrift vorauszusehen vermochten, die sie aber zu einer Stellungnahme zwingt: die Ausweitung des Krieges in Vietnam.

2. Vom Protest zum Widerstand: Der Vietnamkrieg als Katalysator der Proteste

Nachdem Frankreich sich 1954 aus Vietnam zurückgezogen hatte, war das Land ein Krisenherd für die amerikanische Außen- und Sicherheitspolitik. Seit 1960, dem Zeitpunkt der Gründung der FNL (Front National de Libération), wurde, zunächst verdeckt, ein Anti-Guerillakrieg geführt. Den Anstoß zum offenen militärischen Engagement der USA gab ein Zwischenfall im Golf von Tongking am 2. August 1964, als ein amerikanischer Zerstörer von einem nordvietnamesischen Patrouillenboot angegriffen wurde. Der Zwischenfall führte nicht nur zu Vergeltungsangriffen der USA auf Nordvietnam, sondern auch zu einer Resolution des Kongresses, die dem amerikanischen Präsidenten am 7. August das Recht erteilte, „unbeschränkt" in den südostasiatischen Raum einzugreifen. Diese Resolution bildete den Auftakt zum Vietnamkrieg. Bis Ende 1964 waren bereits 23 000 junge Amerikaner in Vietnam stationiert, 1965 stieg die Zahl auf 208 800, 1966 auf 460 300. Das offene militärische Engagement löste weltweite Kritik aus.

USA: Auf einem nationalen Treffen der SDS wird am 30. Dezember 1964 eine Resolution vorgelegt, die Präsident Johnson auffordert, den unerklärten Krieg in Vietnam zu beenden und in der vom Kalten Krieg überlagerten Krisenregion ein neutrales Übereinkommen voranzutreiben. Eine zusätzliche Deklaration schlägt vor, sich dem Wehrdienst zu widersetzen, solange die USA sich nicht aus Vietnam zurückgezogen haben. Beide Anträge finden keine Mehrheit. Beschlossen wird statt dessen, dem Vorbild der Bürgerrechtsbewegung folgend, einen „Marsch auf Washington" zu organisieren, um gegen das Militärengagement der USA in Vietnam zu protestieren. Als dieser Marsch am Osterwochenende des 17. April 1965 stattfindet, nehmen 15 000 bis 20 000 Demonstranten teil. Es ist ein aufsehenerregender nationaler Erfolg der SDS, jedoch weniger dem Organisationsgeschick des Verbandes als der Tatsache zuzuschreiben, daß es am 8. Februar 1965 zu einem weiteren militärischen Zwischenfall gekommen war: einem Angriff der FNL auf die amerikanische Militärbasis Pleiku, bei dem acht amerikanische Soldaten getötet und Hunderte verletzt worden waren. Der Zwischenfall hatte einen weiteren amerikanischen Bombenangriff auf Nordvietnam ausgelöst. Ohne Kriegserklärung befinden sich die Vereinigten Staaten im Krieg. Die neue Situation rückt den Vorsitzenden der SDS, Paul Potter, als Organisator des Marsches ins Rampenlicht der Öffentlichkeit. Er nutzt die Aufmerksamkeit, die ihm zuteil wird, um die militärischen Aktivitäten der Johnson-Administration in einen Zusammenhang mit der Armuts- und Rassismusproblematik in den USA zu stellen. Außen- und Innenpolitik verknüpfend, versucht er, beide als das Ergebnis eines „Systems" zu erklären, „das gesichtslose und schreckliche Bürokratien schafft", „permanent materielle Werte humanen Werten überordnet – und dennoch fortfährt, sich selbst als frei zu bezeichnen und für geeignet zu halten, die Rolle des Weltpolizisten zu übernehmen". Er benennt das System nicht, fordert aber dazu auf, es „zu benennen, zu beschreiben, zu analysieren, zu verstehen und zu verändern". Seine Rede mündet in den Aufruf, eine breite soziale Bewegung zu bilden, um den Krieg zu beenden und die Institutionen zu verändern, welche ihn hervorbrachten. Amerikas Probleme liegen, so das Fazit, nicht in Vietnam, sondern im Inland. Es gelte daher, eine demokratische und humane Gesellschaft zu schaffen, in der Kriege, wie derjenige in Vietnam, undenkbar würden. Dieses Ziel verbinde das vietnamesische Volk mit den Demonstranten in Washington. Ohne die FNL beim Namen zu nennen, stellt Paul Potter einen Zusammenhang zwischen der studentischen Opposition in den USA und der Befreiungsbewegung in der Dritten Welt her. Die Mitgliederzahlen der SDS steigen, aber mit ihr auch, wie der Konvent in Kewadin im Juni 1965 zeigt, die Heterogenität des Verbandes. Wachsenden Einfluß erlangt eine Gruppierung, die sich May 2nd Movement (M2M) nennt, mit der maoistischen PLP (Progressive Labour Party) in Verbindung steht und sich ganz auf die Agitation gegen den Vietnamkrieg konzentriert.

Westberlin: Seit Anfang 1965 besteht innerhalb des Westberliner SDS ein Arbeitskreis, der Südvietnam als Beispiel einer von Kolonialismus und Imperialismus unterdrückten Gesellschaft untersucht. Aus den Debatten entsteht bis zum Ende des Wintersemesters 1965/66 ein Manuskript, geschrieben von Jürgen Horlemann und Peter Gäng, das 1966 unter dem Titel ‚Vietnam – Genesis eines Konflikts‘ in der Regenbogenreihe der Edition Suhrkamp erscheint. Ist die Annäherung an den Problemgegenstand zunächst eine theoretische und historisch-empirische, drückt sich die Kritik am Militärengagement der USA in Vietnam schon bald in Form von Aufrufen, öffentlichen Erklärungen, Aufklärungs- und Protestaktionen aus. Den Auftakt setzt die Unterzeichnung eines Aufrufes für „Frieden in Vietnam“ durch die AStA-Vorsitzenden Lefèvre und Damerow im Frühsommer 1965. Sie löst eine Debatte über das in Anspruch genommene politische Mandat aus und führt nach einer zweieinhalbmonatigen Kampagne der Springer-Presse, die die Initiatoren des Aufrufs in SED-Nähe rückt, zur Abwahl der AStA-Vorsitzenden. Mit dem Appell, die Verurteilung des Krieges in Vietnam nicht allein den Kommunisten zu überlassen, verteidigen ehemalige SDS-Mitglieder, die mittlerweile zu Assistenten avanciert sind, die Notwendigkeit, gerade in Berlin Kritik am amerikanischen Vorgehen zu äußern, und rufen zu einer öffentlichen „Erklärung über den Krieg in Vietnam“ auf. Bundesweit unterzeichnen 70 Schriftsteller (darunter mit Ingeborg Bachmann, Heinrich Böll, Hans Magnus Enzensberger, Erich Fried, Martin Walser und Peter Weiss zahlreiche Mitglieder der Gruppe 47) sowie 130 Professoren und Assistenten die Erklärung. Sie erscheint am 1. Dezember 1965. Der Konflikt um die Einstellung und Haltung der deutschen Öffentlichkeit zum Vietnamkrieg spitzt sich zu, als Bundeskanzler Erhard anläßlich seines Besuches in Washington am 20./21. Dezember erklärt, daß die Bundesregierung die amerikanische Vietnampolitik moralisch unterstütze und ihr Ziel, die Abwehr des Kommunismus, als eine Politik im deutschen Interesse betrachte.

„Erhard und die Bonner Parteien unterstützen MORD", lautet die Aufschrift von Plakaten, die rund 40 Mitglieder des SDS, darunter Rudi Dutschke und Bernd Rabehl, in der Nacht vom 3. auf den 4. Februar 1966 an Berliner Hauswände kleben. Die Aktion erfolgt ohne Absprache mit dem Berliner Landesverband des SDS. Die Plakatkleber greifen einer für den 5. Februar von verschiedenen Studentengruppen der FU (darunter der SDS, SHB und Argument Club) geplanten Demonstration gegen den Krieg in Vietnam vor. Doch nicht nur das. Sie radikalisieren auch sprachlich und inhaltlich die Deutung des Kriegsgeschehens: „Mord durch Napalmbomben! Mord durch Giftgas! Mord durch Atombomben?" Die Plakatkleber sehen die Lösung des Konflikts allein „im Griff zu den Waffen" (Plakatabdruck in: Hochschule im Umbruch). Es ist die Meinung einer Minderheit innerhalb des Berliner SDS und der studentischen Opposition gegen den Vietnamkrieg, doch ihre Strategie, provokative Aktionen ohne vorherige Diskussion innerhalb des SDS und ohne Absprache mit anderen Studentengruppen durchzuführen, macht Schule. Zieht doch ein Teil der Demonstranten am 5. Februar nach Auflösung der offiziellen Demonstration zum Amerika-Haus, umringt das Gebäude und holt vom Fahnenmast die amerikanische Flagge herunter. Die provokative Protestaktion kulminiert im Wurf von fünf Eiern gegen die Front des Amerika-Hauses. Es ist eine Aktion, die in der deutschen Öffentlichkeit mehr Aufmerksamkeit erringt als alle Transparente, Aufrufe und Erklärungen zuvor.

Unter dem Eindruck des Kriegsgeschehens in Vietnam sowie der öffentlichen Kontroverse in der Bundesrepublik plant der Bundesvorstand des SDS einen Kongreß zum Thema „Vietnam – Analyse eines Exempels", der am 22. Mai in Frankfurt stattfinden soll. Der Verband ist im Vorfeld dieses

Kongresses gespalten. Soll er für eine sofortige Beendigung der Waffenhandlungen und den Abzug der amerikanischen Truppen aus Vietnam plädieren oder, wie Berliner SDS-Mitglieder fordern, die Parole „Sieg des Vietcong, ein Sieg unserer Demokratie" lancieren? Den Ausschlag gibt die Intervention eines Intellektuellen, der es sich zur Aufgabe gemacht hat, eine Verbindung zwischen der amerikanischen und deutschen Neuen Linken herzustellen: Herbert Marcuse. Seit 1932 mit dem von Max Horkheimer geleiteten „Institut für Sozialforschung" verbunden, hat Marcuse noch vor Hitlers Machtantritt Deutschland verlassen und ist 1934 in die USA emigriert. Im Gegensatz zu anderen Mitgliedern des Institutes ist er nach dem Zweiten Weltkrieg nicht nach Deutschland zurückgekehrt. Seine Hoffnungen auf eine Berufung nach Frankfurt haben sich nicht realisiert. Als Professor für Politologie an der Universität von San Diego (Kalifornien) lehrend, hat er die Formierung der amerikanischen Studenten- und Antivietnamkriegsbewegung aufmerksam verfolgt. Sein Buch ‚The One-Dimensional Man' (1964) ist noch nicht in deutscher Übersetzung erschienen, aber bereits im Kreis des SDS rezipiert worden. Ein Raubdruck seines Aufsatzes ‚Repressive Toleranz' (1965) ist in Vorbereitung, obwohl der Text in deutscher Übersetzung als Teil des Bandes ‚Kritik der repressiven Toleranz' im Herbst im Suhrkamp Verlag erscheinen soll. Die Erwartungen sind hoch, als Marcuse, 68, das Podium des SDS-Kongresses betritt.

Zweiunddreißig Tage nachdem Theodor W. Adorno in seinem vom Hessischen Rundfunk ausgestrahlten Vortrag ‚Erziehung nach Auschwitz' erklärt hat: „Aller politischer Unterricht endlich sollte zentriert sein darin, daß Auschwitz nicht sich wiederhole", greift auch Marcuse die nationalsozialistische Vergangenheit auf, aktualisiert sie und dehnt die daraus entstehende Verpflichtung aus. Er erklärt die Opposition gegen den Vietnamkrieg zur „moralischen Pflicht" aller Dozenten und Studenten an den Universitäten der Bundesrepublik. Indirekt gibt er damit zu verstehen, daß, aus seiner Sicht, eine Reform des Unterrichts und der Erziehung nicht hinreichend sind. Es kommt darauf an, so seine Botschaft, sich zu engagieren. Denn: „Es gibt in der Geschichte", erklärt er, „eben so etwas wie eine Schuld, und es gibt keine Notwendigkeit, weder strategisch noch technisch, noch national, die rechtfertigen könnte, was in Vietnam geschieht: das Abschlachten der Zivilbevölkerung, von Frauen und Kindern, die systematische Vernichtung von Nahrungsmitteln, Massenbombardierungen eines der ärmsten und wehrlosesten Länder der Welt – das ist Schuld, und dagegen müssen wir protestieren, selbst wenn wir glauben, daß es hoffnungslos ist, einfach um als Menschen überleben zu können und vielleicht für andere noch ein menschenwürdiges Dasein möglich zu machen, vielleicht auch nur, weil dadurch der Schrecken und das Grauen abgekürzt werden könnte, und das ist heute schon unendlich viel."

Vor dem Hintergrund wachsender Sensibilisierung für die nicht bewältigte deutsche Vergangenheit, welche die protestierenden Studenten in der Bundesrepublik kennzeichnete, konnten diese Sätze als ein leidenschaftlicher Appell gedeutet werden, Konsequenzen aus der Schuld durch Unterlassen der Vätergeneration zu ziehen. Zwar wurde durch die Akzentuierung der „Schuldfrage" die Betroffenheit der deutschen Studenten keineswegs derjenigen der amerikanischen Studenten gleich, aber sie wurde zur Gewissensfrage und forderte zur Stellungnahme heraus. Der Frankfurter SDS-Kongreß folgte Marcuse. Er beschloß, ein Telegramm an Bundeskanzler Ludwig Erhard zu senden, in dem der Bundesregierung das Recht abgesprochen wird, den US-Krieg in Vietnam im Namen des deutschen Volkes zu billigen. Der Krieg in Vietnam wurde in der Schlußerklärung des Kongresses als „Befreiungskampf der südvietnamesischen Bevölkerung und zugleich als Akt politischer Notwehr" definiert. Den möglichen Sieg der FNL als Beweis für die Befreiungsmöglichkeit auch anderer Emanzipationsbewegungen wertend, näherte sich der SDS der Position der „Tricontinentalen", der Solidaritätskonferenz der Völker Afrikas, Asiens und Lateinamerikas, die im Januar 1966 in Havanna stattgefunden hatte.

Kuba: Che Guevaras Fokustheorie folgend, ging die vom 3. bis 15. Januar in Havanna tagende Solidaritätskonferenz der Völker Afrikas, Asiens und Lateinamerikas davon aus, daß die objektiven Bedingungen für eine revolutionäre Umwälzung vielerorts erst von einer Guerilla herzustellen waren, die durch ihre Aktionen das für den Emanzipationskampf notwendige revolutionäre Bewußtsein erzeugte. Sie wies damit bewußtseinsschaffenden Aktionen eine Schlüsselrolle im Emanzipationsprozeß zu und unterstrich zugleich die Notwendigkeit des bewaffneten Kampfes, um die Ausbeutungs- und Abhängigkeitsverhältnisse in den unterentwickelten Ländern aufzuheben. Es war diese Botschaft, die durch die vom Kreis um Rudi Dutschke initiierte Plakat-Aktion am 3. Februar nach Berlin transferiert wurde. Implizit enthielt das Plakat aber noch eine andere Annahme, die in Guevaras Fokustheorie angelegt und von der Konferenz in Havanna geteilt worden war: die Verknüpfung der Ziele und Strategien der Befreiungsbewegungen in der Dritten Welt und der Protestbewegungen in den westlichen Industrieländern i. S. einer Unterstützung, die durch Widerstandsaktionen in den westlichen Metropolen herbeizuführen war. In die Praxis überführt wurde diese Botschaft der Solidaritätskonferenz zunächst und vor allem durch die von schwarzen amerikanischen Studenten getragene Studentenorganisation SNCC, die durch ihren Protagonisten Stokely Carmichael in Havanna vertreten war.

Gegründet 1960 mit dem Ziel, die Vielzahl von direkten Aktionen im Rahmen der Bürgerrechtsbewegung zu koordinieren, die durch Praktiken des zivilen Ungehorsams gegen die Rassendiskriminierung in den USA aufbegehrt, sagt sich der Studentenverband 1966 los von der auf Integration in die amerikanische Gesellschaft zielenden Strategie dieser Bewegung sowie vom Prinzip der Gewaltlosigkeit als Conditio sine qua non des politischen Kampfes. Unter dem Einfluß der Tricontinentalen Konferenz von Havanna beginnt sich das Student Nonviolent Coordinating Committee als Teil der internationalen Befreiungsbewegungen zu sehen, die in den USA den antikolonialen Befreiungskampf der Afroamerikaner anführt. Nicht das Proletariat bildet für Carmichael das revolutionäre Subjekt, sondern es sind die Farbigen in den Ghettos, die diese Rolle übernehmen. In enger Verbindung mit der im Oktober 1966 sich formierenden Black Panther Party setzt das SNCC auf Konfrontation – nicht nur zur Bekämpfung der Armut in den Ghettos, sondern auch im Rahmen der Antivietnamkriegsopposition: „Bringing the war home" wird zur Maxime, der auch die amerikanischen SDS folgen.

Frankreich: Im Dezember 1966 ruft die von Alain Krivine und Henri Weber geführte trotzkistische Gruppe JCR zur Gründung von Comités Viétnam Nationaux auf (CVN). Seit ihrer Abspaltung von der kommunistischen Studentenorganisation UEC (Union des Etudiants Communistes) hat sich die JCR als Teil einer internationalen progressiven Jugendbewegung verstanden, die im Studentenmilieu das Bewußtsein für überalterte Strukturen an den Universitäten zu schaffen versucht, die Studentenschaft politisiert und zugleich auf den Kampf der Befreiungsbewegungen in der Dritten Welt orientiert. Das Engagement gegen den Vietnamkrieg eröffnet der Gruppe die Möglichkeit, ihre antikapitalistischen und antiimperialistischen Aufklärungsstrategien in einem Projekt zu bündeln und zu konkretisieren. Bereits seit Februar 1967 sehen sich die Trotzkisten jedoch in ihrer Antivietnamkriegsagitation mit einem Konkurrenten konfrontiert, da sich die maoistische Union des Jeunesses Communistes UJC (ml), die sich vor dem Hintergrund der Spannungen zwischen der Kommunistischen Partei der Sowjetunion und der Kommunistischen Partei Chinas Ende 1966 von der kommunistischen Studentenorganisation (UEC) abgespalten hat, ebenfalls zur Gründung von Vietnamkomitees (Comité Viétnam de Base) entschließt. Inspiriert werden die jungen Maoisten, die ihr Zentrum an der Ecole Normale Supérieure haben, von dem Philosophen Louis Althusser. Gemeinsam mit Régis Debray, der nach bestandenem Examen an der ENS (1960) nach Kuba gereist und Freund Fidel Castros und Weggefährte Guevaras geworden ist, hat Althusser an der Solidaritätskonferenz der Völker Afrikas, Asiens und Lateinamerikas in Havanna teilgenommen. Die ideologische Rivalität zwischen der trotzkistischen und maoistischen Orientierung blockiert die Koordination der Protestaktionen, so daß die internationale Wahrnehmung einer in Frankreich sich formierenden Kritik am Vietnamkrieg, sieht man von vereinzelten Aktionen der an Moskau orientierten Friedensbewegung ab, weitgehend an das Engagement Jean-Paul Sartres gebunden bleibt. Sartre, der durch sein Vorwort (1961) zu Frantz Fanons Schrift ‚Die Verdammten dieser Erde‘ zur internationalen Verbreitung der Schrift beigetragen hat, die den antikolonialen Befreiungskampf der Völker der Dritten Welt legitimiert und propagiert, hat sich nach dem zweiten Bombenangriff der USA auf Nordvietnam (April 1965) der Problematik des Krieges zugewandt. Gemeinsam mit dem englischen Philosophen Bertrand Russell organisiert er im Mai und Oktober 1967 zwei Sitzungen eines „Tribunals“ (Russell-Tribunal), das die Kriegsverbrechen in Vietnam zum Gegenstand seiner Untersuchungen macht. Es kommt zu dem Ergebnis, daß der Krieg, den die amerikanische Regierung gegen Vietnam führt, gemäß Artikel 2 der Genfer Konvention, durch die Absicht des Völkermords gekennzeichnet ist. In Frankreich bleibt der Mobilisierungsprozeß gegen den Vietnamkrieg jedoch relativ schwach, da Staatspräsident Charles de Gaulle als einziger westlicher Staatschef die amerikanische Politik in Vietnam öffentlich kritisiert und damit, so Sartres Interpretation, das Gewissen der Franzosen beruhigt hat. Gegen diese „Apathie“ aufbegehrend, setzt Sartre dem Russell-Tribunal das Ziel, die Öffentlichkeit über das Kriegsgeschehen aufzuklären und insbesondere Studenten und Gewerkschaften zu Protestaktionen zu mobilisieren.

Italien: Mit Beginn des Jahres 1967 setzen auch an den italienischen Universitäten Proteste gegen den Vietnamkrieg ein. Wie in Berlin nehmen diese im März in Trient ihren Ausgang in Fotoausstellungen, Filmvorführungen und Diskussionsveranstaltungen. Vom Campus werden sie in die Innenstadt überführt, wo sie die Form provokativer Aktionen annehmen, die darauf zielen, die Öffentlichkeit aufzurütteln. Einen Höhepunkt erreichen die Proteste, als Studenten der Soziologie, die zu den Initiatoren der Vietnamagitation gehören, zum „ersten politischen Streik an einer Universität" aufrufen und diesen nach zwei Tagen in eine Besetzung des Instituts überführen. Vorausgegangen sind Überlegungen zur Gründung einer Negativen Universität. Orientiert an C. Wright Mills Konzeption einer „kritischen Soziologie", haben die Trientiner Soziologiestudenten begonnen, die Ausbildungspraxis der Soziologen zu kritisieren und zugleich zu verändern durch die Schaffung eines Raumes, der kritisches Denken ermöglichen und die Universität von innen heraus verändern soll. Geschaffen werden soll dieser Raum durch die Überschreitung von „Spielregeln": durch Unterrichtsboykott, Störungen von Veranstaltungen, Kritik der Ordinarien. Das Ziel ist ein doppeltes: einerseits das Soziologiestudium von dem Lehre und Forschung durchdringenden Einfluß der kapitalistischen Gesellschaft zu befreien und andererseits den Studenten die Manipulation ihres Denkens bewußt zu machen, sie aus der Gleichgültigkeit herauszureißen, mit der sie die Beschneidung ihres Grundrechts auf Meinungsfreiheit ebenso passiv hinzunehmen bereit sind wie die ihre Ausbildung stützenden Faktoren des kapitalistischen Systems. Die Aktionen der Protagonisten einer Negativen Universität machen Schule. Binnen weniger Wochen springen die Proteste auf die Universitäten Rom, Pisa, Mailand, Florenz und Perugia über. Noch bevor im Juni 1967 das ‚Manifest für eine Negative Universität' erscheint, haben die Studenten exemplarisch die Praxis ihrer Theorie deutlich gemacht.

Mit ihrer Strategie der provokativen Aktion, die auf die Auslösung von Bewußtseinsprozessen und die Aufdeckung von Manipulations- und Repressionsmechanismen zielt, grenzen sich die Studenten nicht nur von den moralisch motivierten Protesten religiöser Gruppen, sondern vor allem von der Kommunistischen Partei ab, die seit 1965 unter Verweis auf das Selbstbestimmungsrecht jedes Volkes die Ziele der FNL unterstützt. Die FNL als legitime Nachfolgerin der Resistenza betrachtend, hat die Kommunistische Partei über die Vergangenheit eine Verbindung zwischen der italienischen Arbeiterbewegung und der vietnamesischen Befreiungsbewegung herzustellen versucht. Worauf es den Trägergruppen der studentischen Antivietnamproteste ankommt, ist die Verdeutlichung der gegenwärtigen Gemeinsamkeiten zwischen den Protesten an den Universitäten und dem Geschehen in Vietnam, mit anderen Worten: die Aktualisierung und Dramatisierung eines gedachten Handlungszusammenhanges, um der Kommunistischen Partei die Führungsrolle innerhalb der Antivietnamkriegsproteste zu entreißen.

Der Transfer der Proteste von Amerika nach Europa und die Entstehung einer Solidarität zwischen den Trägergruppen wurde durch die Handlungsdynamik kollektiver Sinnkonstruktionen gefördert. Es waren die Schriften dreier Autoren, die der studentischen Opposition eine Handlungs- und Zielorientierung vermittelten: Frantz Fanons Schrift ‚Die Verdammten dieser Erde‘, Ernesto Che Guevaras Brief an die Solidaritätsorganisation der Völker Asiens, Afrikas und Lateinamerikas ‚Schaffen wir zwei, drei, viele Vietnam‘ sowie, abgesehen von Frankreich, Herbert Marcuses Studien ‚Der eindimensionale Mensch‘ und ‚Repressive Toleranz‘. Die parallele Rezeption dieser Texte trug entscheidend dazu bei, ein symbolisches System der Selbstverständigung zu formen, das durch drei Elemente gekennzeichnet war: Erstens: Den Zusammenhang zwischen den Befreiungsbewegungen der Dritten Welt und den Emanzipationsbewegungen in den westlichen Industrieländern unterstreichend, bestärkten die drei Autoren das Mandat der Trägergruppen der studentischen Neuen Linken als intellektuelle Avantgarde sowie deren Voluntarismus, handelnd in den geschichtlichen Prozeß einzugreifen. Zweitens: Indem sie der Gewalt eine zentrale Rolle in den sozialen Kämpfen der Gegenwart zuwiesen – sei es als Mittel, die objektiven Bedingungen für eine revolutionäre Umwälzung herzustellen (Fanon/Guevara), sei es als Mittel der Verteidigung für unterdrückte und überwältigte Minderheiten (Marcuse) –, leiteten sie eine theoretische Auseinandersetzung mit der Gewaltfrage ein, die, versucht man die Schlußfolgerungen auf den kleinsten gemeinsamen Nenner zu bringen, eine Strategie der Kompromißlosigkeit förderte. Drittens: Die Hoffnung auf die Schaffung eines „Neuen Menschen", die sich mit ihren Aufrufen zur Befreiung vom Kolonialismus (Fanon), zum Widerstand gegen den Imperialismus (Guevara) oder zur „Verweigerung" gegenüber einer repressiven Gesellschaft (Marcuse) verknüpfte, schuf einen Topos, der unterschiedlich gedeutet werden konnte, aber an eine gemeinsam geteilte Prämisse gebunden war: die Annahme, daß der „neue Mensch" in der Aktion entstehe, welche der sozialen Revolution vorausgehe. Es war nicht zuletzt dieser Aspekt, welcher der Identifikation mit den Befreiungsbewegungen eine besondere Bedeutung verlieh. Diese Identifikation konnte nicht abstrakt bleiben, mußte sich vielmehr konkretisieren, in Aktionen manifestieren. Angewandt auf Vietnam, hieß dies, daß die Forderung nach Frieden für Vietnam, nicht ausreichend, sondern der Sieg der vietnamesischen Befreiungsfront notwendig war, um das duale Transformationsprojekt zu realisieren (vgl. Ali 1998:148).

Es gilt jedoch nochmals zu differenzieren: Unter der Führung von Stokely Carmichael, der im Mai 1966 an die Spitze des SNCC trat, avancierte Fanons Buch zur „Bibel" der schwarzen Studentenorganisation und orientierte deren Übergang zur Strategie der bewaffneten Selbstverteidigung. Entschieden lehnte Martin Luther King diesen Kurswechsel ab, entzog dem Verband jedoch seine Solidarität nicht und blieb nach außen seinem Grundsatz treu, schwarze Organisationen nicht öffentlich anzugreifen. Mit der neuen Strategie des SNCC verknüpft war die Entstehung eines neuen Selbstverständnisses der jungen Schwarzen. Sich als „kolonialisiertes Volk" in den USA definierend, bildeten sie einen „schwarzen Nationalismus" heraus, welcher der Zusammenarbeit mit Weißen Grenzen setzte. Davon betroffen waren auch die von SNCC und SDS gemeinsam betriebenen Ghetto-Projekte. Die Politik der Exklusion seitens des SNCC sowie die Einsetzung des Ranglistenverfahrens an den amerikanischen Universitäten zur Selektion der vom Wehrdienst freizustellenden Studenten (Mai 1966) lenkte die Aufmerksamkeit der Nationalen

Führungsspitze der amerikanischen SDS, die sich trotz des Erfolges des „Marsches auf Washington" 1965 geweigert hatten, ihre Agitation und Aktionen auf diesen einen Punkt zu konzentrieren, auf den Vietnamkrieg zurück. Der Nationale Konvent nahm nicht nur eine Resolution an, die SDS-Mitglieder dazu aufrief, Ghetto-Rebellionen zu unterstützen (Dezember 1966), sondern ersetzte die Forderung nach Beendigung der Bombardierung Vietnams durch die Forderung nach sofortigem Rückzug der USA aus Vietnam, rief zum Widerstand gegen die Einberufung zum Wehrdienst auf und sagte Deserteuren Hilfe und Unterstützung zu (Juni/Juli 1967). Zum Nationalen Sekretär wurde Mike Spiegel, 20, gewählt, der mit Kommilitonen auf dem Campus von Harvard im November 1966 das Auto Robert McNamaras hin- und her gerüttelt hatte, um den Verteidigungsminister zu einer öffentlichen Diskussion mit den Studenten zu bewegen – mit Erfolg. Die Erfahrung, daß nur durch provokative Aktionen Aufmerksamkeit zu erreichen war, die Radikalisierung des SNCC, Ghetto-Aufstände im Sommer 1967, steigende Einberufungen von Studenten zum Wehrdienst und schwindendes Vertrauen in etablierte politische Institutionen, den Krieg zu beenden, ebneten auch innerhalb der amerikanischen SDS das Terrain, vom Protest zum Widerstand überzugehen und diesen unter Rekurs auf Autoren wie Fanon, Guevara und Marcuse zu legitimieren. „Zuvor haben wir geredet", rechtfertigte ein Mitglied der Free Speech Movement den Übergang, „jetzt müssen wir handeln. Wir müssen das, wogegen wir aufbegehren, stoppen" (Fraser: 152).

Die nationale Delegiertenkonferenz des deutschen SDS forderte im Herbst 1967 den Bundesvorstand auf, organisatorische Kontakte zum SNCC herzustellen und im Falle eines Verbots des SNCC oder des Todes eines Mitglieds „direkte Aktionen gegen die Niederlassungen des US-Imperialismus in der Bundesrepublik und Westberlin durchzuführen". Noch im selben Jahr wurde eine Dokumentation mit Texten der Black Panther in deutscher Sprache vorgelegt. Der antiautoritäre Flügel des deutschen SDS begann, wie Dutschke und Salvatore in der Einleitung zu der von ihnen übersetzten Schrift Guevaras ‚Schaffen wir zwei, drei, viele Vietnam' argumentieren, Gewalt als „organisierte Verweigerung" zu definieren; eine Verweigerung, die umschrieben wurde mit den durch Marcuse inspirierten Worten: „Wir stellen uns mit unseren unbewaffneten Leibern, mit unserem ausgebildeten Verstand den unmenschlichsten Teilen der Maschinerie entgegen, machen die Spielregeln nicht mehr mit, greifen vielmehr bewußt und direkt in unsere eigene Geschichte ein." Das „Sich-Verweigern", das der antiautoritäre Flügel innerhalb des SDS forderte, konnte an der Universität beginnen (im Kampf um den Mensagroschen) und bis zur exemplarischen Aktion „revolutionärer Bewußtseinsgruppen" reichen, die Widersprüche in den Metropolen durch ihr Handeln erkennbar werden ließen (Dutschke 1980: 94–95).

Faßt man zusammen, lieferten die drei Theoretiker der studentischen Opposition gegen den Vietnamkrieg Elemente für eine gleichermaßen „widerständige" und „projektierende" Identität (Castells). Das kollektive Selbstverständnis, das sich durch die Identifikation mit den Befreiungsbewegungen der Dritten Welt und die kognitive Orientierung auf eine ihren Kampf unterstützende Handlungsstrategie in den westlichen Industrieländern bestimmte, ermöglichte nicht nur eine Außenabgrenzung der studentischen Protestgruppen von religiösen, pazifistischen und kommunistischen Gegnern des Vietnamkrieges. Es machte die studentische Neue Linke vielmehr zugleich auch integrationsfähig für eine Vielzahl von Gruppen und Grüppchen, die sich im Verlauf der sechziger Jahre von den kommunistischen Parteien abgespalten hatten: sei es, weil sie deren Strategie einer „friedlichen Koexistenz" kritisierten – wie die Maoisten –, sei es, weil sie deren Unterstützung für die antikolonialen Befreiungskämpfe als nicht ausreichend ansahen und das Festhalten an der Arbeiterklasse in einer Phase der globalen Verlagerung der Klassenkämpfe verwarfen – wie die Trotzkisten der französischen JCR. Anschlußfähig wurde die studentische Neue Linke aber auch für die Kooperation mit dem Russell-Tribunal, das in Anknüpfung an einen

Anklagepunkt der Nürnberger Prozesse den Tatbestand der Verbrechens gegen die Menschlichkeit prüfte, sowie für Strömungen der italienischen Linken, die mit der Orientierung an der Arbeiterklasse noch nicht gebrochen hatten, aber gegen die Hegemonie der PCI und den Mythos der Resistenza aufbegehrten und dem, aus ihrer Sicht, reformistischen Kurs der italienischen Kommunisten eine aktionistische, auf Konfrontation statt Integration ausgerichtete Alternative entgegensetzten.

Das militärische Eingreifen der USA in den Vietnamkonflikt gab den Protesten der verschiedenen nationalen studentischen Avantgarde-Gruppen eine internationale Dimension, eine sie verbindende Idee sowie gemeinsame Strategie. Im Kampf gegen den militärisch-industriellen Komplex in den Metropolen des Westens verknüpfte sich die Gesellschaftskritik der studentischen Gruppen mit dem Kampf der Befreiungsbewegungen in der Dritten Welt gegen die Ausbeutung durch die kapitalistischen Industriestaaten. In der Antivietnamkriegsbewegung gewannen die divergierenden nationalen Emanzipationsstrategien einen internationalen Systembezug, der die Rekrutierung neuer Sympathisanten und Aktivisten möglich machte. Damit hatten weder die Vordenker der Neuen Linken noch die studentischen Trägergruppen der Neuen Linken rechnen können. Überrascht wurden letztere indes noch durch ein weiteres Phänomen, dessen Herausforderung sie auf die Probe stellte.

3. Der „Einfall der Kentauren":
Beat-Boheme und Gegenkultur

Die Diffusion von Ideen erfolgt nicht allein auf dem Weg der Bekehrung, der systematischen Vermittlung und rationalen Aneignung. Wertvorstellungen und Verhaltensgebote, die sich aus Ideen ableiten, werden vielmehr häufig vermittelt durch soziale Praktiken, die halbbewußt und unbewußt Einstellungen und Verhaltensdispositionen prägen. Die Strategien der „direkten Aktion" und der „Konstruktion von Situationen", propagiert von Bürgerrechtsaktivisten und Situationisten, versuchten durch die Inszenierung von Handlungssituationen und Aufmerksamkeit schaffenden Ereignissen, öffentliche Wahrnehmung für gesellschaftliche Probleme herzustellen, um dadurch die Einstellungen der Zuschauer und die Verhaltens- und Handlungsdispositionen der Akteure zu verändern. Diese Theorie und Praxis der Provokateure, die sich Teile der amerikanischen SDS und des deutschen SDS zu eigen machten, wurde im Prozeß der Formierung der Proteste an den Universitäten sowie der Antivietnamkriegsopposition konfrontiert mit und überlagert von einer Jugendprotestströmung, deren Praktiken und Weltsicht weit vom intellektuellen Horizont der Neuen Linken entfernt waren und sich dennoch in Teilen mit deren Anliegen überschnitten. Zum Ausstieg aus der Gesellschaft, nicht zum politisch-sozialen Engagement in der Gesellschaft entschlossen, setzten die aufbegehrenden Jugendlichen dem Sit-in und Teach-in das Be-in und Love-in entgegen, provozierten die Öffentlichkeit, aber zunächst einmal auch die Provokationselite der studentischen Neuen Linken.

Kewadin (Michigan), Juni 1965: Szenisch dem im Giebel des Zeustempels in Olympia dargestellten Einfall der Kentauren gleichend (Roszak), dringen, ausgestattet mit Schlafsäcken, blauen Arbeitshemden, Baumwolljacken und „boots", Studenten und Studentinnen in die Versammlung des Nationalen Konvents der SDS ein. Sie haben noch niemals zuvor eine überregionale SDS-Veranstaltung besucht. Sie kennen die Personen nicht, die seit Port Huron den Verband führen. Eingetreten in eine der SDS-Campus-Gruppen erst wenige Monaten oder Wochen zuvor, sind ihnen weder deren Gebräuche und Geflogenheiten noch deren Sprache vertraut. Nur wenige haben von Marx gehört, keiner hat, wie ein langjähriges Mitglied gleich registriert, jemals Luxemburg, Bernstein, Weber, Lenin oder Trotzki gelesen. Das Erstaunen, das die Neuen auslösen, wächst, als diese während der Beratungen anfangen, Marihuana zu rauchen, und sich jedem Versuch widersetzen, die Diskussion zu strukturieren und in Beschlüsse zu überführen. Zwei Kulturen treffen aufeinander, die einander argwöhnisch beobachten und etikettieren: „Prairie-Power" nennen die durch das ‚Port Huron Statement' geprägten Mitglieder die Neulinge, die zumeist von Universitäten aus dem Süden und Westen der USA angereist sind. Als „Old Guard" stufen diese die um sechs bis sieben Jahre älteren, überwiegend von Universitäten der Ostküste stammenden Mitglieder ein. Der Konvent endet, aus der Sicht der bisher tonangebenden SDS-Mitglieder, fatal. Kein Apollon vertreibt die Kentauren. Sie bleiben und setzen sich durch. Für Autonomie und Selbstbestimmung in den lokalen SDS-Gruppen eintretend, weigern sie sich, Richtlinien für das nationale Büro der SDS zu definieren und dessen Mitarbeiter zu bestimmen. Nicht einmal in der Wahl des Präsidenten setzt sich die „Old Guard" durch, lediglich den Versuch, die ihn unterstützenden nationalen Sekretäre abzuschaffen, wehren sie ab. Der Strom der neuen Mitglieder unterhöhlt, was die SDS gegenüber anderen amerikanischen Studentengruppen ausgezeichnet hat, ihre geschulte nationale Führungsriege. Der Verband wird vom Kopf auf die Füße gestellt, die alte Organisationselite entmachtet, das organistorische Schwergewicht auf die lokalen Gruppen verlegt, die ihre Aktivitäten nicht länger über das Nationale Büro, sondern über International Days of Protest gegen den Krieg in Vietnam koordinieren. Mobilisierungserfolge stellen sich ein, doch verändert sich die Demonstrationskultur durch den Zustrom der Beat-Boheme und Gegenkultur.

„Liebe ist besser als Krieg": In wachsender Zahl prägen das Bild der Antikriegsdemonstrationen Jugendliche, die die Kleider der Wohlstandsgesellschaft gegen phantasievolle Gewänder oder einfache Fetzen vertauscht haben, Blumen, Räucherstäbchen oder Kuhglocken tragen und Bob-Dylan-Songs oder Hare Krishna anstimmen. Für sie trifft in der Regel nicht mehr zu, daß sie, wie Soziologen nach der Revolte in Berkeley konstatierten, aus Familien der oberen Mittelschicht, aus linksliberalen, linkskatholischem und überproportional aus jüdischem Milieu stammen. Sie sind auch nicht, wie Tom Hayden und viele andere der Port-Huron-Generation, Ende

der 30er oder zu Beginn der 40er Jahre geboren, sondern nach dem Krieg. Was sie auszeichnet, ist, daß sie an einen freiheitlichen Erziehungsstil gewöhnt sind, der in viele amerikanische Nachkriegsfamilien Einzug gehalten hat, vermittelt auch durch Dr. Spocks Methoden (zwanglose Sauberkeitserziehung, keine Aufregung über Masturbation, Vermeidung strenger Disziplin). Sie gehören zur Baby-Boom-Generation der Nachkriegszeit, zur statistischen Kohorte der unter 25jährigen, die Mitte der 60er Jahre mehr als die Hälfte der amerikanischen Bevölkerung ausmacht. Was sie anklagen, ist nicht der Widerspruch zwischen Verfassungsanspruch und Verfassungswirklichkeit sowie Werten und Praktiken der Gesellschaft. Was sie bewegt, ist die Konfrontation mit der Realität beim Verlassen der Familien- und Jugendwelt: die Konfrontation mit der Geschäftswelt, der technokratischen Administration der Universität sowie die Konfrontation mit der Apokalypse der Atombombe und dem amerikanischen Krieg in Vietnam.

Ihre Reaktion ist die Flucht in die Welt der Boheme und der Aussteiger, in die Verweigerung gegenüber bürokratisch-technokratischer Disziplinierung, in die Nonkonformität, die Abwehr des Konsums, der zum Mitmachen verführt. Vorbilder für den erstrebten anderen Lebensstil liefern ihnen Jack Kerouacs ‚On the Road‘ und Allen Ginsbergs ‚Geheul‘ (Howl), aber auch asiatische Religionen und Sekten. Die Aneignung von Meditationstechniken und Zen-Prinzipien (Armut, Einfachheit) zielt auf eine innere Bewußtseinsbildung, die die Ablösung von der herrschenden Gesellschaft und Kultur fördern und die Verneinung der bestehenden Welt bekräftigen soll. Was die jugendlichen Rebellen mit den SDS verbindet, sind ihre Abkehr von der „wahnsinnigen Rationalität" technokratischer Apparate, die Hoffnung auf eine Bewußtseinsrevolution, die primär allerdings auf die Veränderung der eigenen Person gerichtet ist, sowie die Lektüre der Schriften von C. Wright Mills und Herbert Marcuse. Weit davon entfernt, die Mechanismen des militärisch-industriellen Komplexes detailliert nachzuzeichnen, wie das ‚Port Huron Statement‘ dies unternahm, argumentieren sie einfacher, aber nicht minder wirkungsvoll: Liebe ist besser als Krieg. Sie leben vor, was Marcuse die „Große Weigerung" nennt.

Die „Große Weigerung": Zum Zentrum der Erprobung neuer Geschlechterbeziehungen, alternativer Wohn- und Lebensstile avanciert die Bucht von San Francisco und insbesondere Haight-Ashbury. Es wird zur Pilgerstätte von Aussteigern aus dem ganzen Land, aber, wie nach der Wende zum 20. Jahrhundert Monte Verita (Ascona), auch zum Treffpunkt zahlreicher Intellektueller, die sich lediglich ein Bild von der entstehenden Gegenkultur machen wollen, unter ihnen Mitglieder der SDS. Jerry Rubin, SDS-Berkeley, macht hier seine erste Erfahrung mit LSD und versucht 1967, gemeinsam mit Abbie Hoffman, die Szene zu politisieren. Tom Hayden betrachtet das Geschehen mit Distanz. Er fühlt sich zu alt, um Hippie zu werden, und bezweifelt, daß ein neues Aussehen bereits neue Ideen und Ansätze zur Transformation der Gesellschaft schafft. Auch die Beat-, Folk- und Rockmusik, die das Lebensgefühl der Bewohner von Haight-Ashbury unterstreicht, ist für ihn nur der „Hintergrund seines Lebens". Fürchtend, die Kontrolle über sich zu verlieren, erprobt er während einer öffentlichen Veranstaltung indes doch einmal die Wirkung von Marihuana, verpaßt die gesamte ihm wichtige Debatte und wendet sich entschieden von weiteren Experimenten ab. Mit stoischer Gelassenheit nimmt er es in Kauf, von Hippies und Yippies als strenger, machtbesessener Organisator der SDS angesehen zu werden.

Auf dem Campus von Berkeley vermischen sich New Left und Gegenkultur. Revolution, so Jerry Rubin, muß Spaß machen. Seine Maxime zieht mehr und mehr College-Studenten in seinen Bann. In den Kampagnen gegen den Krieg in Vietnam, von dem die Jüngeren mehr betroffen sind als die Älteren, die, wie Rubin, nicht mehr eingezogen werden können, überlagern sich die politischen Argumente der studentischen New Left und der Geist der Lebensstil- und sexuellen Revolution, der von Haight-Ashbury auf den Campus von Berkeley überspringt. „Countervailing Power", „Black Power" und „Flower Power" vermischen sich. Es ist Herbert Marcuse, der, die Proteste deutend, einen Zusammenhang zwischen ihnen und den Protesten in Europa herstellt und zugleich den Primat der Neuen Linken wiederherstellt. Im Juni 1967 erklärt er den Studenten in Berlin, wogegen die amerikanischen Studenten und Jugendlichen rebellieren. Sie wenden sich, aus seiner Sicht, gegen den „way of life" der „autoritär-demokratischen Leistungsgesellschaft", „gegen den allgegenwärtige Druck des Systems", das „durch seine repressive und destruktive Produktivität immer unmenschlicher alles zur Ware" degradiere und nach außen mit „Terror" reagiere. Moralische, sexuelle und politische Rebellion vereinigend, drücke der Protest eine Opposition „gegen die Gesellschaft als Ganzes" aus: eine Opposition gegen die *eindimensionale Gesellschaft*. Als deren Hauptmerkmale nennt er die Integration der beherrschten Klassen auf dem Boden gesteuerter und befriedigter Bedürfnisse, die ihrerseits den Monopolkapitalismus reproduzieren, sowie ein gesteuertes und unterdrücktes Bewußtsein.

Indem die Studentenopposition sowie die Gruppen der Hippies und Beatniks in den USA einen totalen Bruch mit den in der Gesellschaft herrschenden repressiven Bedürfnissen anmelden, bilden sie für Marcuse eine „negierende Opposition", die, da sie zugleich „neue Sensibilität" sowie „vitale Bedürfnisse" erkennen läßt, zur Transformation der Gesellschaft führen kann. Dies werde jedoch, darauf insistiert Marcuse, erst möglich, wenn die Opposition gegen die eindimensionale Gesellschaft von zwei „extremen Polen der Gesellschaft" gestellt werde: den „Unterprivilegierten" und den „Privilegierten". Gehören die Studenten neben den Intellektuellen zur Gruppe der Privilegierten, die ein Bedürfnis nach radikaler Umwandlung der Gesellschaft entwickeln, konstituieren ethnische Minoritäten, soziale Randgruppen (Arbeitslose, Arbeitsunfähige) und die Befreiungsbewegungen der Dritten Welt die Gruppe der Unterprivilegierten, die als potentiell revolutionäre Kraft angesprochen werden können. Die Arbeiterklasse den Unterprivilegierten zurechnend, ihr jedoch – zumindest der amerikanischen – ein Bedürfnis nach Veränderung des Systems absprechend, kommt Marcuse zu dem Schluß, daß die Entstehung einer neuen revolutionären Kraft nur das Ergebnis einer „Konfluenz umwandelnder Kräfte in den Zentren des Spätkapitalismus mit der Dritten Welt" sein könne. Damit bekräftigt er die Strategie des antiautoritären Flügels innerhalb des deutschen SDS sowie der international sich abzeichnenden Protestbewegung gegen den Krieg in Vietnam, die auf Unterstützung der vietnamesischen Befreiungsfront setzt. Er hebt den Kulturprotest der Beat-Boheme hervor, ordnet ihn aber zugleich der politisch-sozialen, auf Bündnisse mit sozialen Randgruppen, ethnischen Minderheiten und den Befreiungsbewegungen orientierten Ansätzen der New Left unter, da, aus seiner Sicht, nur durch das Zusammenwirken heterogener sozialer Kräfte (Privilegierte/Unterprivilegierte) in den westlichen Industrieländern und zwischen diesen und der Dritten Welt eine Transformation der Gesellschaft herbeigeführt werden könne.

Kommune-Experimente: Gelesen wurde Marcuses Buch ‚Der eindimensionale Mensch‘ gleich nach Erscheinen der englischen Ausgabe auch im Kreis der Gruppe Subversive Aktion, einer Abspaltung der aus der Situationistischen Internationale ausgegrenzten Gruppe SPUR. Die Problematik der Vereinsamung des einzelnen in der spätbürgerlichen Gesellschaft aufgreifend, diskutierte die Gruppe im Sommer 1966 die Gründung alternativer kollektiver Lebensgemeinschaften in Form von Wohnkommunen und schritt in der Silvesternacht 1966/67 von der Idee zur Tat.

In der Atelierwohnung des in New York lebenden Schriftstellers Uwe Johnson richten Dieter Kunzelmann, Ulrich Enzensberger, Dagrun Enzensberger, Dorothea Ridder und Dagmar Seehuber die erste Kommune in Berlin ein. In einem Manifest ‚Notizen zur Gründung revolutionärer Kommunen in den Metropolen‘ heißt es, „wir machen die Kommune, um Praxis jetzt zu machen: Praxis als Methode zur Erkenntnis der Wirklichkeit." Rudi Dutschke, der den Planungen der Gruppe beigewohnt hat, vollzieht das Gruppenexperiment nicht mit. Im Februar erobern die sukzessive sich erweiternden Kommunarden den Landesverband des SDS. Gespalten in konkurrierende Arbeitskreise, die untereinander über die Frage streiten, ob die Mobilisierung primär über die Problematik des Vietnamkriegs oder der Notstandsgesetze geführt werden soll, bietet der Verband den Kommunarden eine vorübergehende Handlungsschance. Mit Happenings und provokativen Aktionen erkämpfen sie sich die Aufmerksamkeit der Medienöffentlichkeit. Nach Veröffentlichung von fünf surrealistisch-situationistisch geprägten Flugblättern und einem in der Vorbereitungsphase von der Polizei unterbrochenen „Pudding-Attentat" auf den amerikanischen Vizepräsidenten Humphrey wird die Kommune im Mai 1967 wegen „demonstrativer Ignorierung theoretischer Arbeit" und „falscher Unmittelbarkeit" aus dem Verband ausgeschlossen. Innerhalb des SDS ist das Kommune-Experiment damit beendet, außerhalb jedoch nicht. Der Kommune I folgen weitere Kommunegründungen. Gegenkultur und Neue Linke gehen auch in Berlin eine Verbindung ein. Im Prozeß der Diffusion unterliegt allerdings auch die Kommune-Idee einem Prozeß der Veralltäglichung. Die Kritik der Situationisten am modernen Urbanismus, ihre Forderung „Eine andere Stadt für ein anderes Leben" (Constant), die noch in architektonischen Entwürfen zu einem Kommune-Haus in Berlin planerische Gestalt fand, verflüchtigt sich in der Gründung von „WGs", Wohngemeinschaften ohne idealgebendes Programm.

4. Vom Schweigen zum Handeln: Der Stachel der unbewältigten Vergangenheit

Die Strategie der Aufklärung durch Aktion, der Bewußtseinsschaffung durch Handeln, die die studentischen Trägergruppen der Neuen Linken auszeichnete, wurde bestärkt durch eine weitere Herausforderung, die sich den im Zweiten Weltkrieg und in den ersten Nachkriegsjahren geborenen Jugendlichen stellte: die Auseinandersetzung mit der unmittelbaren Vergangenheit. Diese drang in ihr Bewußtsein ein als stufenweiser Prozeß des Erwachens. Ereignisse wie der Algerienkrieg (1954–1962), der Eichmann-Prozeß in Jerusalem (1961/62) oder der Auschwitz-Prozeß in Frankfurt (1964/65) förderten diesen Prozeß. Prägend auf die Auseinandersetzung mit der Vergangenheit wirkte die Vorstellung einer Wiederholbarkeit. Sie trug dazu bei, aus der Vergangenheit ein Mandat zum Engagement in der Gegenwart abzuleiten. Zwar war die Bedeutung, die diesem Faktor in der Formierung der Protestbewegungen zufiel, nicht in allen Ländern gleich stark, aber der Stachel der Vergangenheit wirkte keineswegs nur in der Bundesrepublik nach.

Die Macht der Bilder: Wiederkehrende Bilder der Unterdrückung, die eine Gefahrensituation aktualisierten, riefen in Frankreich die unmittelbare Vergangenheit ins Bewußtsein zurück. Es waren Photos von französischen Soldaten in Algerien, die bei einer Generation, welche die Phase des Vichy-Regimes als Kinder jüdischer Eltern erlebt hatte, verdrängte Erinnerungen weckten. Was man überwunden geglaubt hatte, schien zurückzukehren. Wie Alain Geismar, einer der drei Sprecher der Studentenbewegung im Mai 1968, rückblickend gegenüber Yair Auron erklärte, wurde es unvorstellbar, die französische Uniform zu tragen und damit zu riskieren, an Folterungen oder einem lokalen Genozid teilzunehmen. Zwar wurde Frankreich nicht mit Nazi-Deutschland gleichgesetzt, aber die Handlungen der französischen Armee in Algerien wurden mit denjenigen der Wehrmacht verglichen. Schockiert begannen junge französische Juden, ihre Eltern zu befragen und anzuklagen, nicht genügend gegen den Faschismus gekämpft zu haben. Die Konsequenz, die sie zogen, war nicht nur ein Engagement gegen den Krieg, sondern vielfach auch eine Unterstützung der algerischen Befreiungsfront sowie eine Hinwendung zu linksradikalen, gauchistischen Gruppen. Der Algerienkrieg wurde zum Schlüsselereignis der politischen Sozialisation zahlreicher Aktivisten der studentischen Trägergruppen der Mai-Bewegung 1968.

Komplizenschaft durch Schweigen: Nicht nur das Engagement jüdischer Mitglieder der Free Speech Movement wurde in den USA durch die Formel „You're silent, you're complicit" gelenkt. Bereits im ‚Port Huron Statement' waren unter den „Schrecken", welche das 20. Jahrhundert prägten, die Gasöfen, die Konzentrationslager und die Atombombe genannt worden. Der Ausbruch aus der Apathie, den das Programm forderte, enthielt den Appell, „vom Schweigen zum Handeln" überzugehen. Zwar richtete sich dieser weniger gegen das Beschweigen der Vergangenheit als vielmehr gegen das Beschweigen aktueller gesellschaftlicher Widersprüche. Aber er transferierte, den Einfluß des französischen Existentialismus spiegelnd, eine Lehre aus der Vergangenheit. Wenn für die Tragweite der Vergangenheit, wie Sartre in ‚Das Sein und das Nichts' geschrieben hatte, der Grundentwurf, den das Individuum von sich machte, und die Ziele, auf die es sein Handeln projektierte, entscheidend waren, lag die Vergegenwärtigung der Vergangenheit nicht in der Erörterung, Erwägung und Beurteilung früherer Ereignisse, sondern im Prozeß des Sichentwerfens und Eingreifens in die Gegenwart. Diese Vergangenheitsbewältigung, die der Existentialismus nahelegte, wurde durch Deutungen unterstrichen, die den Faschismus auf universelle Bedingungen zurückführten.

Die Gefahr der Wiederholung: Der Faschismus, so Hans Magnus Enzensberger in seinen ‚Reflexionen über die Schwierigkeit, ein Inländer zu sein' (1964), sei nicht entsetzlich, weil ihn die Deutschen verübt hätten, sondern weil er überall möglich sei. Über die Vorgeschichte von Auschwitz nachzudenken hieß für ihn, wie er in einem vom ‚Merkur' 1964 veröffentlichten Briefwechsel mit Hannah Arendt schrieb, dies im Hinblick auf die Zukunft von Auschwitz zu tun. Es gelte, nicht nur an die Schuld der Älteren zu denken, sondern „an die Schuld, mit der wir uns selbst beladen". Die Planung der „Endlösung von morgen" geschehe öffentlich. Auschwitz und Hiroshima gleichsetzend, akzentuierte er die Gefahr, daß die Nachwelt, beschäftigt mit dem Versuch, die Handlanger von Hitlers „Endlösung" zu richten, die Vorbereitung ihrer eigenen beschwieg.

Von der Prämisse der Wiederholbarkeit ging auch Theodor W. Adorno in seinen Analysen aus. In seinem Vortrag ‚Erziehung nach Auschwitz', der am 18. April 1966 vom Hessischen Rundfunk ausgestrahlt wurde, bezeichnete er Auschwitz als „Ausdruck einer überaus mächtigen Tendenz", nämlich „der im Zivilisationsprozeß selbst angelegten Barbarei". Da die Grundstruktur der Gesellschaft gleich geblieben sei, könne sich in anderer Gestalt die Massenvernichtung unschuldiger Menschen jederzeit wiederholen. In den im Exil vorgenommenen ‚Studies in Prejudice' (1950) hatte das Institut für Sozialforschung als eine Bedingung für den Aufstieg des Nationalsozialismus und seiner Verbrechen die autoritäre Charakterstruktur angesehen. An diese Studien anknüpfend, trat Adorno, um das Individuum widerstandsfähig gegenüber den destruktiven Tendenzen autoritärer Strukturen zu machen, für eine Erziehung zur Reflexion, zur Selbstbestimmung, zum Nicht-Mitmachen ein. Es war diese, wie er es nannte, „Wendung aufs Subjekt", die die Voraussetzungen schaffen sollte, daß, wie er in seiner Studie ‚Negative Dialektik' (1966) schrieb, „Auschwitz nicht sich wiederhole, nichts Ähnliches geschehe".

Die von Adorno im Rahmen der ‚Studies in Prejudice' geleiteten ‚Studien zum autoritären Charakter' bildeten eine Grundlage der Gesellschaftskritik des antiautoritären Flügels innerhalb des SDS. Geboren 1940, argumentierte Dutschke 1968: „Wir in einer autoritären Gesellschaft aufgewachsenen Menschen haben nur eine Chance, unsere autoritäre Charakterstruktur aufzubrechen, wenn wir es lernen, uns in dieser Gesellschaft zu bewegen als Menschen, denen diese Gesellschaft gehört, denen sie nur verweigert wird durch die bestehenden Macht- und Herrschaftsstrukturen." Mochte das politische System sich geändert haben, ein zentrales Strukturelement, das zum Faschismus geführt hatte, war, so auch seine Prämisse, erhalten geblieben: die autoritäre Charakterstruktur. Um diese aufzubrechen, galt es, „die Erziehung neuer Menschen anzustreben", die ein Höchstmaß an Autonomie erlangten.

Antiautoritäres Handeln als permanenter Lernprozeß: Zu verändern waren die Persönlichkeitsstruktur sowie die Strukturen der Institutionen, welche die Persönlichkeit formten.

Denn der Faschismus war, so Dutschkes These, nicht mehr manifest in einer Partei oder einer Person, sondern lag vielmehr in der tagtäglichen Ausbildung des Menschen zu autoritären Persönlichkeiten: in der Erziehung. Entsprach seine Argumentation bis zu diesem Punkt den Vorgaben Adornos, ging die Handlungmaxime, die er aus seiner Analyse ableitete, über die Konzeption des Vordenkers hinaus. Das Individuum, so Dutschke, mußte sich verändern in der und durch die Aktion, durch Aufbegehren gegen Autoritäten und autoritäre Herrschaftsstrukturen. Strebte Adorno eine umfassende Erziehungsreform auf institutioneller Ebene an, um über sie das Denken und die Einstellungen der Individuen zu verändern, setzte Dutschkes Strategie gleichsam „von unten" an, bei einer Veränderung der Institutionen durch antiautoritäres Handeln. Antiautoritäres Handeln, verstanden als „permanenter Lernprozeß der an der Aktion Beteiligten", wurde in ‚Mein langer Marsch' als der zentrale Faktor angesehen, „Momente der Ich-Stärke" zu erzeugen und die Individuen in der Überzeugung zu bestärken, das System als Ganzes in Zukunft doch stürzen zu können. Die antiautoritäre Handlungsmaxime entfachte eine einzigartige Mobilisierungsdynamik ließ sich antiautoritäres Handeln doch in einer Vielzahl von Institutionen durchführen, angefangen von der Familie über den Hörsaal bis zum Gerichtssaal. Die Reaktionen auf die provokativen Aktionen bestätigten die Provokateure. Sie enthüllten, was gezeigt werden sollte: das Repressionspotential, das in den autoritären Institutionen enthalten war.

Die Enthüllung akzentuierte die Notwendigkeit des Aufbaus von Gegenstrukturen, von Assoziationen und Institutionen, in denen andere Beziehungsformen erprobt werden konnten: Kommunen, Kinderläden, Gegenuniversitäten. Auf diese Weise verknüpfte sich ein zentrales Element der Transformationsstrategie der Neuen Linken, die Bildung von Gegenmacht durch Gegeninstitutionen, in der Bundesrepublik mit der Aufarbeitung der Vergangenheit zu einer spezifischen Form der Vergangenheitsbewältigung. Individuelle und institutionelle Selbstbestimmung, errungen durch Verweigerung,

Nonkonformität und die Entfaltung alternativer Beziehungsformen, wurden zu Leitideen eines Handelns, das sich weniger
gegen die Väter als vielmehr gegen die Strukturen richtete, die
diese zu Mittätern, Helfern und Mitläufern des Nationalsozialismus gemacht hatten. Die theoretischen Implikationen
antiautoritären Handelns offenbaren eine reflexive Aneignung der Problematik der Schuldfrage und zugleich den Versuch einer Selbstbefreiung durch Handeln: Befreiung von
einer als noch nachlebend wahrgenommenen Vergangenheit
durch die Veränderung der Verhaltens- und Handlungsdispositionen des Individuums und der Institutionenstruktur der
Gesellschaft der Gegenwart.

III. Auf dem Weg in eine „andere" Gesellschaft? Mobilisierungsprozesse

Eine soziale Bewegung kann aus sich heraus nicht erfolgreich
sein. Sie benötigt, um Wirkungsmacht zu entfalten, die Unterstützung von Bündnispartnern, d.h. selbständigen, aber
konvergierenden politischen Kräften (Parteien, Interessenver-
bänden, relevanten sozialen Gruppen, nahestehenden Bewegungen). Während Schwächen in der Bündnispolitik häufig
zum Scheitern sozialer Bewegungen führen, schaffen koordinierte Aktionen eine Grundlage ihres Mobilisierungserfolges.
Bündnispolitik ist daher ein für den Verlauf sozialer Bewegung entscheidender Faktor.
    Die Strategien der studentischen Trägergruppen der Neuen
Linken in den USA, Frankreich, Italien und der Bundesrepublik unterschieden sich hinsichtlich der Wahl ihrer Bündnis-
partner und des Grades der Koordination der nationalen Proteste. Dennoch zeichneten sich die Mobilisierungsprozesse
in den verschiedenen Ländern durch übergreifende Gemeinsamkeiten aus. Diese waren bedingt durch die Transformationsstrategie der Neuen Linken, die die Trägergruppen zur
Beantwortung gleicher Grundfragen zwang, durch die Reak-

tionen der staatlichen Kontrollinstanzen auf die Proteste sowie durch den Transfer zwischen den Bewegungen.

1. Der „lange Marsch": Strategien und Bündnisse

Die Annahme einer weitgehenden Integration der organisierten Arbeiterschaft in die bestehende Gesellschaftsordnung lenkte die Trägergruppen der Neuen Linken auf die Mobilisierung ethnischer und sozialer Randgruppen sowie unorganisierter Gruppen der Arbeiterschaft, auf die Kooperation mit anderen außerparlamentarischen Protestströmungen sowie auf die Unterstützung der Befreiungsbewegungen in der Dritten Welt. Ein Mobilisierungsprozeß außerhalb der Hochschulen, wie ihn die Manifeste und Resolutionen imaginierten, war jedoch bis zum Frühjahr 1967 nicht erfolgt. An den Universitäten zeichneten sich einzelne Proteste, aber, abgesehen von den USA, keine landesweiten Studentenbewegungen ab. Die Unruhen an den Hochschulen in den USA, eng verknüpft mit der Eskalation des Vietnamkriegs und der Radikalisierung eines Teils der Bürgerrechtsbewegung (SNCC, Black Panther), setzten in dieser Situation ein weltweites Signal.

USA, Sommer/Herbst 1967: Die vom SNCC und der Black Panther Party propagierte Strategie der Konfrontation, die in Ghettoaufständen im Sommer 1967 ihren Ausdruck findet, sowie die vor dem Hintergrund wachsender Einberufungen zum Militärdienst sich schlagartig auf nahezu alle Universitäten ausbreitenden Studentenunruhen führen eine Polarisierung innerhalb der SDS herbei. Nicht die Konzentration der Aktionen auf den Protest gegen den Krieg in Vietnam ist der entscheidende Punkt der innerverbandlichen Kontroverse. Ihre Bedenken gegen eine Ein-Punkt-Bewegung haben alle Fraktionen aufgegeben. Es ist vielmehr der Kampf um die Bestimmung der Zielgruppe oder die Definition des „revolutionären Subjekts", der den Macht- und Konkurrenzkampf entfacht. Unter den Wehrdienstverweigerern überwiegen die Studenten, wenngleich sie unter den zum Militärdienst Einberufenen eine Minderheit darstellen. Eine erfolgreiche Antikriegsbewegung könne sich daher, so das Argument der Mitglieder der maoistischen PLP in den Reihen der SDS, nicht allein auf sie gründen, sondern müsse diejenigen einbeziehen, die das Hauptkontingent stellten: die Arbeiter. Gerade von ihnen drohe die Antikriegsbewegung sich jedoch durch eine Strategie der Konfrontation zu isolieren. Um die Arbeiterschaft zu integrieren, gelte es nicht, „Widerstand" (resistance) zu propagieren, sondern mit Basisarbeit (base-building) zu beginnen. Nicht Mobilisierung durch Aktion, sondern durch Organisation, lautet ihre Maxime, die auf eine Allianz von Studenten und Arbeitern zielt.

Deutlich grenzen sich die Maoisten damit von zwei anderen Fraktionen innerhalb des Verbandes ab, die auf Revolutionierung der Köpfe durch Eskalation der Aktionen setzen: einerseits von einer Gruppe, die seit 1966 das Konzept der Studentenmacht (student power) vertritt, andererseits von einer Fraktion, die, orientiert am radikalen Flügel der Bürgerrechtsbewegung, auf die Unterstützung der Befreiungsbewegungen setzt und den Übergang zur Guerilla-Strategie in den Metropolen verficht. Die Befürworter des Aufbaus einer Studentenmacht setzen auf dem Campus an. Sie mobilisieren die Studentenschaft gegen die Allmacht der bürokratisch-technokratischen Verwaltung, gegen den militärisch-industriellen Komplex sowie gegen die Komplizenschaft der Universitäten mit der Armee und der Rüstungsindustrie. Es geht ihnen nicht darum, Universitätsreformen einzuleiten, sondern die Studenten zu „Agenten des sozialen Wandels" zu machen, um über sie, die junge Intelligenz, die politischen und sozialen Strukturen des Landes zu verändern. Die Argumentation der Befürworter einer Guerilla-Strategie geht davon aus, daß der Krieg nur beendet werden kann, wenn der Widerstand im Lande wächst und die Kosten des Systems infolge der direkten Konfrontation der Kriegsgegner mit den Machtinstanzen steigen. Zu dieser Überzeugung gelangt nach dem Ghetto-Aufstand in Newark (Juli 1967) auch Tom Hayden, der Autor des ‚Port Huron Statements'.

Während sich die Maoisten durch disziplinierte Organisationsarbeit wachsenden Einfluß in zahlreichen lokalen SDS-

Gruppen sichern und dort die Aufnahme von Fabrikarbeit propagieren, setzt die nationale Führung der SDS auf Massenmobilisierung durch provokative symbolische Aktion. Sie ruft zur Teilnahme an dem für den 21. Oktober 1967 geplanten Marsch auf Washington auf. Dieser Marsch soll, so hat es der Repräsentant der Friedensbewegung, Dave Dellinger, vorgesehen, zur größten Demonstration der Kriegsgegner werden und erzwingen, was alle anderen vorangegangenen Demonstrationen trotz steigender Zahl der Teilnehmer nicht erreicht haben: eine Änderung der Kriegspolitik. Um die Wahrnehmung der amerikanischen Öffentlichkeit stärker als zuvor auf die Anliegen der Protestbewegung zu lenken, hat er einen Protagonisten der SDS in Berkeley, Jerry Rubin, mit der Planung betraut. Rubin hat seit 1965 in der Bucht von San Francisco die Anlieferung von Militärgütern über das Eisenbahnnetz durch Aktionsformen des zivilen Ungehorsams zu stoppen versucht. Geübt in der Strategie begrenzter Regelverletzung, arbeitet er einen Plan aus, der nach einer Kundgebung am Lincoln-Denkmal die Demonstranten zum symbolischen Ort der amerikanischen Militärmacht führen soll: zum Pentagon, dem Verteidigungsministerium. Vom Vorplatz dieses Gebäudes aus soll der Versuch gemacht werden, in die Machtzentrale einzudringen, sie symbolisch zu besetzen und damit, zumindest für kurze Zeit, zu stören.

Die Phasenteilung der Demonstration spiegelt die Strategie, die Proteste der Friedensbewegung, liberaler Gruppen und der New Left in einer Aktion zusammenzuführen und dabei für unterschiedliche Demonstrationsformen Handlungsräume zu schaffen. Nicht alle Demonstranten ziehen nach der Kundgebung am Lincoln-Denkmal weiter zum Pentagon. Es sind vor allem Studenten und Studentinnen sowie Hippies, aber auch Vertreterinnen der Gruppe Women Strike for Peace sowie Intellektuelle, unter ihnen Dave Dellinger, Dr. Benjamin Spock, Noam Chomsky und Norman Mailer. Letzterer hält, was vor dem Pentagon geschieht, in seinem Buch ‚Heere aus der Nacht. Geschichte als Roman. Der Roman als Geschichte‘ (1968) fest. Es gelingt einem selbsternannten „revolutionären

Kontingent" von SDS-Mitgliedern, die Absperrgitter zu überwinden und durch einen Seiteneingang in das Pentagon einzudringen. Die amerikanische Flagge wird vom Fahnenmast gezogen. Zwischen den Polizisten und Soldaten, die das Pentagon bewachen, sowie den Demonstranten, die der Vorhut gleich in das Bollwerk einzudringen suchen, bewegen sich Hippies, die mit den Worten „Kommt zu uns" den Soldaten Blumen in die Gewehrläufe stecken und sie mit bloßen Busen oder einem öffentlichen Liebesakt zu provozieren versuchen. Die Akteure des „revolutionären Kontingents" werden im Inneren des Pentagons festgenommen, die prominenten Intellektuellen, mit Ausnahme von Dr. Spock, beim Versuch, sich dem Haupteingang zu nähern und mit den Bewachern ins Gespräch zu kommen. Die Menge der Demonstranten löst sich auf. Ein paar tausend bleiben. Friedenspfeifen herumreichend, die mit Haschisch gefüllt sind, durchwachen sie die Nacht. Lagerfeuer werden unter Verwendung der Holzbarren entfacht, die das Gelände vor dem Pentagon absperren sollten. Im Schein des Feuers beginnen die bunten Kleider und Uniformjacken der Unionsarmee, die viele tragen, dem Cover der neuesten Beatles-Langspielplatte zu gleichen. „Hippies auf der Spur von Sergeant Pepper", hält Mailer in seinen Aufzeichnungen fest. Unter denen, die ausharren, befinden sich aber auch viele, die einen Musterungsbescheid in der Tasche tragen. Mit fortschreitender Dunkelheit werden diese Bescheide angezündet Sie verbrennen in Sekundenschnelle, sind aber als kleine helle Fackeln weit sichtbar in der Nacht. Es sind symbolische Zeichen des Widerstands, der indes mit vier bis fünf Jahren Gefängnis bestraft werden können. Eineinhalb Tage vergehen, bis die Belagerung von Soldaten und Polizisten gewaltsam aufgelöst wird. Mit besonderer Schärfe gehen Polizisten und Soldaten gegen Frauen vor. Die Mehrzahl der Zeitungen berichtet in den nächsten Tagen nur knapp von der Großdemonstration, an der sich, nach Schätzung Norman Mailers, zwischen 75 000 und 90 000 Demonstranten beteiligt haben.

Deutschland, Sommer 1967 – Winter 1967/68: Auch in der Bundesrepublik wird am 21. Oktober in zahlreichen Städten gegen den Vietnamkrieg protestiert. In Frankfurt bleibt die vom SDS organisierte Demonstration, die von rund 500 Studenten und Schülern getragen wird, friedlich. In Berlin kommt es nach Abschluß der offiziellen Demonstration zu schweren Auseinandersetzungen zwischen der Polizei und 1500 Demonstranten, die den Verkehr auf dem Ku-Damm zu blockieren versuchen. Im Laufschritt haben sie sich zuvor einen Weg durch die Innenstadt gebahnt, Plakate mit dem Porträt Che Guevaras mitführend, der am 9. Oktober 1967 in Bolivien getötet worden ist. Während sich die Studenten in Frankfurt in englischer Sprache mit Thesen über den Vietnamkrieg an amerikanische Soldaten wenden, hat die Berliner Demonstration einen sekundären lokalen Mobilisierungsbezug. Skandierte Parolen wie „USA aus Vietnam raus – Bombt doch mal das Springer-Haus" verdeutlichen dies ebenso wie ein in der Nacht am Schöneberger Rathaus angebrachtes Plakat mit der (gegen den Bürgermeister und den Berliner Senat gerichteten) Aufschrift „Brecht dem Schütz die Gräten – Alle Macht den Räten".

Die Ereignisse des 2. Juni 1967 haben die Situation in der Stadt verändert. Die tödlichen Schüsse aus der Waffe eines Polizisten, die den Studenten Benno Ohnesorg am Ende einer Demonstration gegen den Schah von Persien vor der Deutschen Oper trafen, haben Panik, Entsetzen und Wut in der Studentenschaft ausgelöst. Viele, die bislang eher mit Distanz die Aktionen der Studentengruppen verfolgten, haben sich persönlich getroffen gefühlt und ihre Betroffenheit in politisches Engagement überführt. Nicht nur in Berlin hat sich dadurch die Basis der studentischen Protestbewegung verbreitert, sondern der Funke des Protestes ist auf die Universitäten der Bundesrepublik übergesprungen. An den Gedenk- und Trauerveranstaltungen im ganzen Land haben sich auch Assistenten, Professoren und Vertreter der liberalen Intelligenz beteiligt. Geprägt wurde die Wahrnehmung der Situation entscheidend durch die von Vertretern des SDS, aber auch von Professoren vorgenommene Deutung der Berliner Ereignisse als Ausdruck vorweggenommener Notstandsmaßnahmen. Sie lenkte den Protest auf ein politisches Ziel: die Verhinderung der von der Großen Koalition dem Parlament als Entwurf vorgelegten Notstandsgesetze. Autoritäre Herrschaft in Hochschule, Staat und Gesellschaft schienen in den Berliner Ereignissen wie in einem Brennglas zusammengefaßt und der Analyse zugänglich geworden. Die Schüsse vor der Deutschen Oper wurden als Höhepunkt einer Politik angesehen, die Minderheiten und Nonkonformisten auszuschalten versuchte. Lokale Antinotstandskomitees gründeten sich im ganzen Land.

Bereits auf dem im Anschluß an die Trauerfeier für Ohnesorg durchgeführten SDS-Kongreß in Hannover (Juni 1967) traten jedoch die Gegensätze innerhalb des SDS deutlich hervor. Konnten die Verhältnisse in der Bundesrepublik, aus der Sicht einer Fraktion, für die der Marburger Politologe Wolfgang Abendroth sprach, nur durch ein Bündnis von Intelligenz und Arbeiterbewegung zur Abwehr der Notstandsgesetze und Rettung der Demokratie geändert werden, verfocht der antiautoritäre Flügel eine andere Strategie. Überzeugt, daß die Arbeiterklasse keine privilegierte Vorhut der Emanzipationsbewegung war, rief Rudi Dutschke zur Vergrößerung des antiautoritär-realdemokratischen Lagers in und außerhalb der Universität durch die Gründung von „Aktionszentren" auf, die durch direkte Aktion über die Notstandsgesetze, die NPD, Vietnam oder Lateinamerika aufklären sollten. Seine Handlungsmaxime formulierte er in dem Satz: „... daß die etablierten Spielregeln dieser unvernünftigen Demokratie nicht unsere Spielregeln sind, daß Ausgangspunkt der Politisierung der Studentenschaft die bewußte Durchbrechung dieser unvernünftigen Spielregeln durch uns sein muß". Es war dieser Satz, der Jürgen Habermas veranlaßte, ihn aufzufordern, seine Vorschläge zu konkretisieren, da die „voluntaristische Ideologie" ansonsten die Gefahr eines „linken Faschismus" erkennen lasse. Auf der Delegiertenkonferenz des SDS im Herbst 1967 in Frankfurt nahmen Dutschke und Hans-Jürgen Krahl, der theoretische Kopf des Frankfurter SDS, in einem gemeinsamen Referat eine neue Positionsbestimmung vor, die den Kampf um das Deutungsmonopol innerhalb des Verbandes deutlich werden ließ. Den Vertretern einer Allianz von Intelli-

genz und Arbeiterklasse, die unterstützt wurden von SED-
oder KPD-nahen Mitgliedern, setzten sie die Konzeption einer
Guerilla-Strategie entgegen, die „agierenden Minderheiten"
eine zentrale Rolle zuschrieb, einen Bewußtseinsprozeß einzuleiten, der die abstrakte Gewalt des herrschenden Systems
zur sinnlichen Gewißheit werden lasse. Am Vorbild der Befreiungsbewegungen orientiert, forderten sie dazu auf, die
„Propaganda der Schüsse" in der Dritten Welt durch eine
„Propaganda der Tat" in den Metropolen zu ergänzen. Ziel
dieser Strategie sollte die Verbreiterung einer „radikalen Opposition" sein, die ihren Ausgang in einem Prozeß des Sich-
Verweigerns in den Institutionen nehmen könne. Damit waren, wie in den amerikanischen SDS, die heterogenen Pole
markiert, die in Frankfurt folkloristisch durch eine weitere
Position ergänzt wurden. Denn der aus dem SDS ausgeschlos-
sene Kommunarde Dieter Kunzelmann ließ während des gesamten Kongresses in der Vorhalle eine Platte mit Liedern der
chinesischen Kulturrevolution erschallen.

Unmittelbar angestoßen durch die Ereignisse des 2. Juni
wurden zwei weitere Projekte: die Gründung einer Kritischen
Universität in Berlin sowie eine landesweite Anti-Springer-
Kampagne. Gegründet mit dem Ziel, dem Wissenschaftsbetrieb eine Alternative entgegenzusetzen, sollte die Kritische
Universität nicht nur das Forum einer in die Praxis überführ-
ten Hochschulkritik und Studienreform sein, sondern die
Studenten zugleich auf ihre Rolle und Funktion als „kritische
Intelligenz" in der Praxis zukünftiger Berufe vorbereiten. Waren zahlreiche Free Universities in den USA durch Veranstaltungen der Gegenkultur geprägt, die den Einfluß der New
Left verdrängten, überwogen im Berliner Modellversuch ge-
sellschaftspolitische Themen und universitätsbezogene Veranstaltungen, in denen der Einfluß der theoretischen Arbeitskreise des SDS nachwirkte. Die Kurse waren zum Teil als
Ergänzungsveranstaltungen zu offiziellen Vorlesungen und
Seminaren konzipiert. Der kleinste gemeinsame Nenner der
am Projekt der Kritischen Universität Beteiligten war die Demokratisierung der Hochschule in einer demokratischen Ge-

sellschaft. Unter dem Dach der kritischen Universität konkurrierten jedoch rivalisierende Konzeptionen: Demokratisierung durch Mitbestimmung (Machtteilhabe) oder Selbstbestimmung (Aufbau von Gegenmacht). Die Hochschuldenkschrift des SDS hatte als Ziel einer Universitätsreform die Einführung einer Drittelparität in den Gremien der Hochschule genannt. Dutschke definierte die „KU" als „Kampfinstrument zur Mobilisierung von Minderheiten". Als Metapher umfaßte die Formel vom „langen Marsch durch die Institutionen" beide Strategien. Ergänzt um die Konkretisierungen, die er seiner Formel gab, ging der „lange Marsch" jedoch in der Erweiterung von Teilhabe- und Mitspracherechten an Entscheidungsprozessen innerhalb bestehender Institutionen nicht auf. Der „lange Marsch" implizierte vielmehr die Formierung von Gegenmacht außerhalb bestehender Institutionen, angestoßen durch begrenzte Regelverletzungen „radikaler Minderheiten", die innerhalb bestehender Institutionen übten, was als Voraussetzung der Transformation der Gesellschaft galt: Nonkonformität und Verweigerung. Dutschkes Plan für ein „Dritte Welt/Metropolen-Seminar" im Rahmen der Kritischen Universität sah neben der Einführung in die Funktionsmechanismen von Gesellschaft und Politik auch den Aufbau eines illegalen Radiosenders, der desertionswillige US-Soldaten ansprechen sollte, sowie eine Reise nach Kuba vor. Letztere scheiterte an der Weigerung kubanischer Behörden, die Studenten aufzunehmen.

Es war die aus der Auseinandersetzung der Neuen Linken mit der alten Linken erwachsene Ablehnung einer Parteigründung, die den von Dutschke beschworenen „radikalen Minderheiten" eine Schlüsselrolle im Verlauf des „langen Marsches" verlieh. War die Mobilisierung von Mehrheiten durch „revolutionäre Bewußtseinsgruppen" die Antwort des antiautoritären Flügels, rief der ihm entgegenstehende linkssozialistische Flügel innerhalb des SDS zu einer Anti-Springer-Kampagne auf. Überzeugt, daß nur koordinierte Aktionen eine Aufklärung der Bevölkerung erwirken konnten, versuchte er, die aus der Ostermarschbewegung hervorgegangene Kampagne für Abrüstung in die Durchführung der Anti-Springer-Kampagne zu integrieren. Auch nahm er Kontakte auf zum Herausgeber des Spiegels, Rudolf Augstein, sowie zum Verleger Gerd Bucerius. Detailliert wurden Großveranstaltungen geplant mit dem Ziel, die manipulative Berichterstattung aufzudecken, die eine Pogromstimmung gegen die protestierenden Studenten in Berlin habe entstehen lassen. Flankiert wurde die Kongreß-Politik durch die Gründung lokaler Komitees, die durch einen sozial wie topographisch gezielten Flugblattkrieg sowie durch die Gründung einer Gegenzeitung (EXTRA-BLATT) die Öffentlichkeit aufklären sollten. Ein „Springer-Hearing" unter der Parole „Enteignet Springer" sollte die verschiedenen Aktionsstränge zusammenführen.

Es wird für den 9. Februar 1968 vorbereitet, aber nicht durchgeführt. Strategische und bündnispolitische Differenzen innerhalb des SDS durchkreuzen den Plan. Entschieden widersetzt sich am 8. Februar in Frankfurt Hans-Jürgen Krahl einem Bündnis von SDS-Studenten und Teilen der politisch bewußten Gewerkschaften sowie der liberalen Presse. Unter Verweis auf unterschiedliche Bewußtseinsstrukturen lehnt er eine „Koalition mit Augstein und Brenner" (dem IG-Metall-Vorsitzenden) ab. In Berlin ist im Rahmen der Kritischen Universität bereits am 1. Februar auf einer Veranstaltung zur Vorbereitung des Springer-Hearings ein Film über die Herstellung von Molotow-Cocktails gezeigt und am Ende ein Bild des Springer-Hochhauses eingeblendet worden. Steinwürfe gegen sechs Filialen des Springer-Konzerns in der darauffolgenden Nacht haben zu einem vom Berliner Senat und der Verwaltung der Freien Universität ausgesprochenen Verbot weiterer Veranstaltungen zur Mobilisierung für das Springer-Hearing innerhalb der FU geführt. Augstein und Bucerius fehlen, als das Hearing am 10. Februar in der Technischen Universität eröffnet und auf einen späteren Zeitpunkt vertagt wird. Es kommt nicht mehr dazu. Das Prinzip der Störung durch direkte Aktion greift nach innen und stört eine geplante Aktion des Teils der Außerparlamentarischen Opposition, der auf koordinierte Aktionen mit Teilen der kritischen Intelligenz, der liberalen Presse und der Gewerkschaften sowie mit der Kampagne für Abrüstung setzt.

Italien, Winter 1967/68: Rivalisierende Meinungslager bilden sich mit Beginn des akademischen Jahres 1967/68 auch in Italien heraus: ein antiautoritäres, ein operaistisches und ein marxistisch-leninistisches Lager. Unter der Parole „Potere studentesco" (Studentenmacht) kritisieren Studenten in Trient und Turin die Ausrichtung der Universitätsausbildung an den Bedürfnissen des Arbeitsmarktes, die der Reformplan von Bildungsminister Luigi Gui vorsieht, sowie die autoritären Strukturen und das Demokratiedefizit an den Universitäten. Durch exemplarische Aktionen (Besetzungen, Boykotte, aktive Streiks, Gegenvorlesungen) versuchen sie, die Autoritätsstrukturen zu entlarven und zugleich das Bewußtsein der Akteure zu verändern. Überzeugt, daß die Universitäten lediglich die Autoritäts- und Herrschaftsstrukturen der Gesellschaft spiegeln, verfolgen sie eine duale Strategie. Konzentriert auf die Mobilisierung der Studentenschaft, versuchen sie zugleich, antiautoritäre Aktionsformen und Deutungsmuster in die Betriebe zu tragen. Fabrik-Kommissionen, zusammengesetzt aus Studenten, sollen den Arbeitern den Zusammenhang zwischen universitären und betrieblichen Autoritätsstrukturen erklären. Selbstbestimmung durch Bildung von Gegenmacht propagierend, gehen die Verfechter von „Potere studentesco" dabei von der Autonomie der Studentenbewegung aus und versuchen, eine „organische Verbindung" von Studenten- und Arbeiterbewegung herzustellen. Gegen diese Strategie machen die im Februar 1967 gegründete Zeitschrift ‚Il Potere Operaia' (Pisa) und eine an ihr orientierte Strömung in der Region Venetien Front. Für die Operaisten sind Studenten „Arbeitskräfte in Ausbildung" und bilden als solche keine selbständige und unabhängige Kraft. Zwar setzen auch sie sich für eine Demokratisierung der Universität ein, in dem sie ein Studiengehalt fordern, das die ökonomischen Barrieren des Hochschulstudiums brechen soll. Primär konzentrieren sie sich aber auf die spezifischen Probleme der Industriearbeiterschaft und verlagern ihr Aktionsfeld ab Frühjahr 1968 zunehmend in die

Betriebe. Bestrebt, die Arbeiterschaft zu mobilisieren, wenden sie sich insbesondere an die un- und angelernten Arbeiter, die in den sechziger Jahren in die Industrieregionen des Nordens gewandert sind. Sie bezeichnen sich als „revolutionäre Militante", die in die Betriebe intervenieren, um das höchste Niveau des in der Arbeitermasse bestehenden Bewußtseins zum Ausdruck zu bringen. Ihre antibürokratische und basisdemokratische Orientierung verbindet sie mit dem antiautoritären Lager und grenzt sie zugleich von den Marxisten-Lenisten ab, die den Aufbau einer revolutionären Kaderpartei erstreben. Die marxistisch-leninistischen Trägergruppen, die sich zunächst vor allem in Neapel, Mailand und Rom formieren, sehen die landesweite Organisation der revolutionären Kräfte als Voraussetzung einer Transformation der Gesellschaft an und definieren die Studenten, aufgrund ihrer Einsicht in den gesellschaftlichen Entwicklungsprozeß, als potentielle Kader einer revolutionären Organisation. Strategisch und organisatorisch grenzen sie sich damit sowohl von den Antiautoritären als auch den Operaisten ab. Geeint werden die divergierenden Meinungslager lediglich durch zwei negative Bezugnahmen: durch ihre Abgrenzung von den Parteien und Gewerkschaften der alten Linken und durch ihren Protest gegen den „amerikanischen Imperialismus" in Vietnam.

2. Die Tet-Offensive: Synchronisierung der Proteste

Soziale Bewegungen können eine Bekräftigung und Beschleunigung erfahren durch externe Faktoren: „kritische Ereignisse" (Bourdieu), die die Wahrnehmung heterogener Akteure synchronisieren, einen Bruch mit dem Alltag, dem Gewohnten, der „normalen" Zeitwahrnehmung herbeiführen und dadurch sowohl Individuen als auch Gruppen einen Zwang zur Stellungnahme auferlegen, Erwartungen hervorrufen und Ansprüche wecken. Die Tet-Offensive zu Beginn des Jahres 1968 war ein solches „kritisches Ereignis".

Mit ihr begann am 29. Januar der stärkste Angriff der FNL und Nordvietnamesen auf Südvietnam. Er konzentrierte sich auf die Städte. In Saigon wurden der Flughafen, der Präsidentenpalast, das Hauptquartier des südvietnamesischen Generalstabs und die US-Botschaft getroffen. Schwerer als das militärische Angriffspotential wogen die psychischen Folgen der Attacke: das sichtbar erfolgreiche Aufbegehren gegen eine der stärksten Militärmächte der Welt. Das Fernsehen in den USA änderte die Perspektive der Berichterstattung. Es rückte die Opfer des Krieges in den Blick, die Schwäche der südvietnamesischen Regierung und die hohen Verluste der USA. Es schürte Zweifel an der Glaubwürdigkeit der Regierung unter Präsident Lyndon B. Johnson, den Krieg, wie bis Ende 1967 behauptet, binnen kurzem siegreich zu einem Ende führen zu können. Umfragen verzeichneten einen Umschwung in der öffentlichen Meinung. Die Quote der Befürworter des Kriegs sank bis Ende Februar von 51 auf 32 Prozent. Der Glaube an die Legitimität des Kriegs schien gebrochen, eine Niederlage der USA in den Bereich des Möglichen gerückt. Vor diesem Hintergrund fand am 17./18. Februar in Berlin der Internationale Vietnam-Kongreß statt.

Geschichte ist machbar: Elf studentische und dem Spektrum der Neuen Linken zuzuordnende Gruppen nehmen am Internationalen Vietnam-Kongreß teil, der durch die Vernetzung der nationalen Proteste eine „antiimperialistische Einheitsfront" gegen den Vietnamkrieg, eine „Heilige Allianz" gegen die Konterrevolution herbeiführen will. Die Redner unterstreichen die Notwendigkeit, die FNL und die Befreiungsbewegungen in der Dritten Welt zu unterstützen. Denn könne der US-Imperialismus in Vietnam überzeugend nachweisen, so Rudi Dutschke in seinem Referat, daß er den revolutionären Volkskrieg erfolgreich zu zerschlagen vermöge, beginne erneut eine lange Periode autoritärer Weltherrschaft von Washington bis Wladiwostok. Um diese zu verhindern, gelte es, den antiautoritären Kurs zu beschleunigen, der die Widersprüche innerhalb der hochentwickelten kapitalistischen Systeme sichtbar mache. Aufklärung und Mobilisierung lauten seine Maximen zur Schaffung einer radikalen außerparlamentarischen Opposition, die Gruppen, Organisationen und

Individuen aus allen Sphären der Gesellschaft vereinen soll. Sie werde möglich auch in der Bundesrepublik, wenn es den Intellektuellen gelinge, mit dem Volk, nicht über das Volk zu sprechen, und wenn eine breite, kontinuierliche Untergrundliteratur entstehe. Unter Rückgriff auf Fanon den „neuen Tag" beschwörend, der sich „am Horizont" abzeichne, erklärt er die Revolutionierung der Revolutionäre zur Voraussetzung der Revolutionierung der Massen.

Einen Auftakt zur Mobilisierung stellt die Demonstration am Ende des Kongresses dar, die 15 000 Teilnehmer umfaßt. Inspiriert durch diesen imposanten Berliner Demonstrationszug, unternimmt Tariq Ali in den folgenden Wochen alles, um ein vergleichbares Zeichen auch in London zu setzen, wo die Vietnam Solidarity Campaign für den 17. März zu einer großen Protestkundgebung aufgerufen hat. Die eingeladenen Vertreter des SDS bedrängen ihn, in London durchzuführen, was in Berlin unterlassen worden ist, die Demonstration in eine begrenzte Regelverletzung zu überführen. Ali lehnt ab. Die Internationalisierung der Demonstration begrenze das Recht der nationalen Veranstalter nicht, die jeweils richtige Taktik zu bestimmen. Als der Londoner Demonstrationszug sich schließlich formiert, marschieren die SDS-Vertreter in der zweiten Reihe hinter den Repräsentanten der Vietnam Solidarity Campaign, seitlich flankiert von riesigen Fahnen der FNL. Er herrscht eine optimistische Stimmung. Wären die Gespräche der Teilnehmer an diesem Tag aufgezeichnet worden, so Ali in seiner Autobiographie, hätten sie gezeigt, daß die überwältigende Mehrheit mehr als nur den Sieg in Vietnam wollte. „Wir wollten eine neue Welt ohne Krieg, Unterdrückung und Ausbeutung der Arbeiterklasse, die auf Kameradschaft und Internationalismus gebaut war. Der Reichtum der Ersten Welt, wenn er richtig eingesetzt wird, könnte eine Hilfe für die Dritte Welt sein." Mit anderen Worten: Eine Veränderung der Gesellschaft schien möglich, die Herbeiführung eines „Sozialismus, der dieser Bezeichnung gerecht" wurde: „Das war es", so Ali, „was Vietnam uns alle gelehrt hatte."

Street-Fighting Man: Als die Demonstranten sich am 17. März 1968 dem Grosvenor Square, dem Sitz der amerikanischen Botschaft, nähern und plötzlich mit einem Aufgebot von Polizisten konfrontiert sehen, vermag Ali die Situation nicht mehr zu kontrollieren. Die Demonstranten unternehmen, was er auszuschließen versucht hat: Sie „besetzen" den Platz. „Wir waren viele, sie waren wenige", urteilt er später. Das Kräfteverhältnis ändert sich, als die berittene Polizei auftritt. Die Arme ineinander verhakt, beginnen die Demonstranten, passiven Widerstand zu leisten, der jedoch angesichts der Umzingelung durch Polizeipferde sowie infolge der Prügel, welche die berittenen Polizisten wahllos austeilen, in eine gewaltsame Konfrontation umschlägt. Während dieser Konfrontation zeigt sich Alain Krivine, der aus Paris angereist ist, über die Militanz der Demonstranten überrascht. Die Herausgeber der ‚New Left Review', die seit Ende der 50er Jahre zentrale Impulse zur kognitiven Neuorientierung der studentischen Neuen Linken gegeben haben, reagieren jedoch entsetzt. „*Dies* ist unser Wahlkreis, Mann!" ruft Perry Anderson einem Demonstranten zu. Nach zweistündiger Auseinandersetzung gibt Ali das Zeichen zur Räumung des Platzes. Enttäuscht über diese Entscheidung, übersetzt einer der Demonstranten seine Unzufriedenheit in einen Song, den er ‚Street Fighting Man' nennt: Mick Jagger. Der Text ist weit entfernt davon, die Sinnkonstruktion, um die der Berliner Internationale Vietnam-Kongreß sich bemüht hat zu übermitteln, aber er symbolisiert eine Haltung und eine Stimmung, die auch ohne Kenntnis der Ideen und Handlungsmaximen der Trägergruppen der Neuen Linken zum militanten Protest inspirieren.

Die Schlacht in der Valle Giulia: Zu gewaltsamen Auseinandersetzungen mit der Polizei ist es am 1. März 1968 auch in Rom gekommen, als nach der Räumung der Città universitaria Studenten die Fakultät für Architektur in der Valle Giulia unter Einsatz von Hölzern, Erdbrocken, Steinen, Flaschen und Büchern als Wurfgeschosse erstürmten. Welche Seite die gewaltsame Konfrontation eröffnet hatte, blieb umstritten. Der

Innenminister beschuldigte die Studenten, ein sozialistischer Abgeordneter die Polizei. Tatsache ist, daß die Polizei sich neu formierte und die sich verbarrikadierenden Studenten, die Mobiliar aus den oberen Stockwerken auf die Polizisten zu werfen begannen, mit Wasserwerfern, Tränen- und Reizgas wieder aus dem Fakultätsgebäude vertrieb. Ein Teil der Besetzer wurde nach dieser Aktion festgenommen, eine kleine Gruppe Polizisten von Demonstranten umzingelt. Um ihre Kollegen zu befreien, griffen einige Polizisten zur Waffe und feuerten, da einem der umzingelten Polizisten die Dienstwaffe abgenommen worden war, Schüsse in die Luft. Sie verfehlten ihre Wirkung nicht. Die Demonstranten gaben die Polizisten frei. Zurück blieben bei einigen von ihnen Angst und Wut sowie der Eindruck, am Beginn der „Anni die piombo", der „bleiernen Jahre", zu stehen. Das studentische Aktionskomitee verurteilte den Polizeieinsatz, erklärte die Eskalation der Gewalt für nicht geplant und nicht gewollt und rief zur Rückkehr zu gewaltfreien Protestformen auf. Indes, die stundenlange Schlacht, über die in den nächsten Tagen die Medien ausführlich berichteten, inspirierte Aktionen in anderen Städten. Kompromißloses Handeln unter Einsatz von Gewalt wurde zur Handlungsoption, mit der die italienische Studentenbewegung von einer Bewegung innerhalb der Universität in eine außerparlamentarische Opposition verwandelt werden sollte. Wie in London wurde auch in Rom den Ereignissen ein musikalisches Denkmal gesetzt. Der Liedermacher Paolo Pietrangeli schrieb das Lied ‚Valle Gulia', in dem es u. a. heißt:

> Sie griffen die Schlagstöcke
> und prügelten drauf los, wie sie es immer machen
> und plötzlich ist es dann geschehen
> etwas Neues, etwas Neues
> Wir sind nicht mehr davongelaufen
> Wir sind nicht mehr davongelaufen!
>
> Der 1. März, ja, ich erinnere mich,
> wir waren so ungefähr 1500 Leute
> und die Polizei stürmte vor

doch die Studenten schlugen zurück
Nein zur Kapitalistenschule
Weg mit der Regierung, tretet zurück!

„Wir wollen die Welt, und wir wollen sie jetzt": Zurück tritt
am 31. März 1968 ein Mann, der angetreten ist, den Vietnamkrieg siegreich zu Ende zu führen: Lyndon B. Johnson. Er
verzichtet auf eine weitere Präsidentschaftskandidatur, nachdem er zur Überzeugung gelangt ist, die Unterstützung der
amerikanischen öffentlichen Meinung für seine Politik verloren zu haben und aus den Reihen seiner eigenen Partei, den
Demokraten, neben Eugene McCarthy ein neuer Gegenkandi-
dat aufgetreten ist: Robert F. Kennedy. Bereits Mitte Februar
hat dieser Kontakte zu zwei Repräsentanten der amerikanischen SDS, Tom Hayden und Staughton Lynd, aufgenommen.
Dem ersten Zusammentreffen sind weitere auch in der Pri-
vatwohnung von Kennedy gefolgt. Im Zentrum der Gespräche
steht der Vietnamkrieg, aber von Kennedy angesprochen wird
auch das Konzept der „participatory democracy". Hayden
beginnt, in Kennedy einen amerikanischen Mendès France zu
sehen. Es scheint für ihn denkbar geworden, daß Kennedy
nach einer amerikanischen Niederlage in Vietnam, wie Mendès France nach der französischen Niederlage in Dien Bien
Phu 1954, Verhandlungen über einen Friedensvertrag einlei-
tet. Doch der politische Kontext, in dessen Rahmen er sich neu
zu orientieren beginnt, ändert sich vier Tage später radikal.
Martin Luther King, die Symbolfigur der gewaltlosen Bürgerrechtsbewegung, wird erschossen. In 76 Ghettos brechen
gewaltsame Aufstände aus. Vor dem Hintergrund dieser Eskalation der Gewalt spitzen sich die Gegensätze innerhalb der
SDS zu: zunächst innerhalb der SDS-Gruppe an der Columbia
University (New York). Eine sich selbst als „Aktionsfraktion"
(„action faction") bezeichnende Gruppe, die auf Mobilisierung durch Aktion setzt und sich damit abgrenzt von den Be-
fürwortern einer „Praxis-Achse" („praxis axe"), die Organisation zur Voraussetzung der Aktion erklärt, prescht mit einer
Provokation vor, die weltweit Schlagzeilen macht. Auf der

universitären Gedenkfeier für Martin Luther King am 23. April 1968 unterbricht der Sprecher der „Aktionsfraktion", Mark Rudd, 20, den Rektor und erklärt die Trauerrede für Heuchelei, solange die Universität fortfahre, die Interessen von Harlem zu mißachten. Der umstrittene Bau einer universitären Sporthalle auf der Grenze zu Harlem, gegen den Bewohner und offizielle Vertreter Harlems protestiert haben, sowie die enge Verbindung der Columbia Universität mit dem Institute for Defense Analysis, das waffenbezogene Forschungen im Auftrag des Verteidigungsministeriums durchführt, werden zum Anlaß eines Streiks mit Besetzungsaktionen an der Elite-Universität. Die Besetzung des ersten Universitätsgebäudes wird von Mitgliedern der SDS und des SNCC gemeinsam durchgeführt. Die Ausgrenzung der weißen Studenten aus dem besetzten Gebäude, auf der die schwarzen Kommilitonen bestehen, treibt die SDS-Gruppe zur Besetzung des Büros des Universitätspräsidenten sowie zur Besetzung der Fakultät für Mathematik. An letzterer beteiligen sich auch Tom Hayden, der sofort nach Ausbruch des Streiks auf den Campus gekommen ist, sowie Abbie Hoffman, der eine Gruppe von Aussteigern aus den an die Universität angrenzenden Stadtteilen mitgebracht hat. Alle Kurse werden boykottiert, die besetzten Gebäude zu „befreiten Gebieten" erklärt und durch Barrikaden gesichert. In den Fenstern des besetzten Verwaltungsgebäudes prangen in Großbuchstaben die Worte: WE WANT THE WORLD AND WE WANT IT NOW!, eine Parole aus dem Lied ‚When the Music's Over' von den Doors, für die Todd Gitlin eine sinnhafte Entsprechung im Kommentar des Chores in Peter Weiss' Stück ‚Die Verfolgung und Ermordung des Jean Paul Marats' ausmacht. „Participatory democracy" wird, aus der Sicht der Akteure, an der Columbia Universtity in die Praxis überführt.

Orientiert an Guevaras Appell, „zwei, drei, viele Vietnam" zu schaffen, geben die SDS den Slogan aus, „zwei, drei, viele Columbias" entstehen zu lassen. Innerhalb der streikenden Studenten bildet sich eine Gruppe, die über neue Curricula und Selbstverwaltungsorgane diskutiert und versucht, den

Schwerpunkt der Aktionen auf eine Reform der Universität zurückzulenken. „Restrukturierung" („restructuring") heißt die Parole, mit der sie sich vom radikalen Aktionismus der SDS abgrenzt. Eine andere Fraktion beschließt, der Universität den Rücken zu kehren und Verbündete in den Ghettos und unter den Arbeitern zu suchen, überzeugt, daß eine „freie Universität" nur errichtet werden kann, nachdem eine „freie Gesellschaft" begründet worden ist. Nach sieben Tagen hebt die Polizei die Besetzung der Universitätsgebäude auf, doch die Proteste gehen weiter. Das Signal, das die Studenten von der Columbia University mit ihrem Streik setzten, wird im ganzen Land wahrgenommen. Wie ein Lauffeuer verbreiten sich die Streiks und Proteste an den amerikanischen Universitäten. Ein neues Stadium der Proteste beginnt. Barrikaden, so Tom Haydens Kommentar, gehören nicht länger der romantischen Vergangenheit an, sondern symbolisieren den Beginn, den „Krieg nach Hause zu bringen". Von der Entschlossenheit und Militanz der bis zu neun Jahren jüngeren neuen SDS-Mitglieder wie Mark Rudd überrascht, sieht er sich hin- und hergerissen zwischen seiner Sympathie für Robert Kennedy und seiner Rolle als Agitator der SDS. Mehr und mehr wird er als General angesehen, wenngleich er, wie er betont, nicht nach Columbia gekommen ist, um „participatory democracy" zu lehren, sondern mit dem Grundsatz, die Entscheidung den handelnden Akteuren zu überlassen. Als Robert Kennedy ihn auffordert, an seiner Wahlkampagne mitzuwirken, lehnt er ab. Er verspricht aber, während des für August 1968 geplanten Parteitages der Demokraten eine Demonstration der Antivietnamkriegsbewegung zu organisieren, hoffend, daß diese Kennedys Kandidatur hilfreich sein kann.

Frankreich langweilt sich: Während weltweit die Studenten auf die Straße gehen, bleibt es in Frankreich relativ ruhig. Die Franzosen, schreibt in ‚Le Monde' Pierre Viansson-Ponté am 15. März, „langweilen sich". Der Vietnamkrieg bewege sie, aber er berühre sie nicht wirklich. Zwei Tage später gehen im Anschluß an eine Demonstration gegen den Vietnamkrieg in Paris die Scheiben einer Filiale der American Express Bank zu

Bruch. Ein Student aus Nanterre, Xavier Langlade, wird festgenommen. Er ist Mitglied der von Alain Krivine geleiteten trotzkistischen Gruppe JCR. Seine Festnahme entfacht die Solidarisierung der anarchistischen, trotzkistischen und maoistischen Gruppen in Nanterre und führt zur Formierung der „Bewegung des 22. März", die binnen kurzem den Campus von Nanterre verändert. Ein Disziplinarverfahren gegen Mitglieder dieser Bewegung, darunter Daniel Cohn-Bendit, das am 3. Mai 1968 in der Sorbonne eröffnet wird, die verfahrenstechnisch für Vorgänge an der Fakultät Nanterre zuständig ist, transferiert die Proteste vom Campus von Nanterre nach Paris. Es beginnt der französische Mai.

3. „Die Phantasie an die Macht"?
Das Feld des Möglichen im Mai 1968

Binnen einer Woche (vom 3. bis 10. Mai) wird in Frankreich der Prozeß nachgeholt, der sich in den Vereinigten Staaten, der Bundesrepublik und Italien bereits vollzogen hat, der Prozeß der Formierung einer durch Aktionen mobilisierenden Studentenbewegung. Binnen weiterer 24 Stunden „überholt" die französische Studentenbewegung die Entwicklung in den anderen Ländern. Große Teile der Arbeiterklasse solidarisieren sich mit den Studenten. Auch in der Bundesrepublik gehen im Mai 1968 Studenten und Arbeiter auf die Straße, erreicht die Außerparlamentarische Opposition vor dem Hintergrund der zweiten und dritten Lesung der Notstandsgesetze im Parlament den Höhepunkt ihrer Mobilisierungsdynamik. Zu einer vergleichbaren „Großen Parallelaktion" von Studenten- und Arbeiterbewegung wie in Frankreich kommt es im deutschen Mai jedoch nicht. Der Versuch, „französische Zustände" in der Bundesrepublik zu schaffen, schlägt fehl. Nur in Frankreich entfacht ein Generalstreik, der 7,5 bis 9 Millionen Streikende umfaßt, nur hier stürzt die Bewegung das Regierungssystem in eine ernste politische Krise und erreicht einen „kritischen Moment", in dem die Zukunft offen und alles möglich erscheint. Mit einem Hubschrauber, der das Radarsystem an der französisch-deutschen Grenze unterfliegt, verläßt Staatspräsident de Gaulle am 29. Mai das Land.

Der französische Mai: Die Studentenbewegung in Frankreich entsteht vor dem Hintergrund einer allgemeinen Krise der Universität. Der Prozeß der Ausweitung der tertiären Bildung, der sich in den sechziger Jahren in allen westlichen Industrieländern vollzog, ließ die Studentenzahlen von 200 000 (1960) auf 587 000 (1968/69) wachsen. Damit rückte Frankreich an die Spitze der europäischen Bildungsstatistik. Als Folge der sozialen Öffnung der sekundären Bildungsinstitutionen gelangten verstärkt Studenten aus dem Kleinbürgertum an die Universität. Mit der sozialen Zusammensetzung veränderte sich die Erwartungshaltung der Studentenschaft. Ihre Ansprüche stiegen, während die real garantierten Chancen sanken. Das Hochschulstudium ebnete nicht mehr automatisch den Zugang zum akademischen Beruf. Diese strukturelle Deklassierung wurde durch die Dysfunktionalität der Lehrkörperstruktur verstärkt: Um den Zustrom der Studenten aufzufangen, waren die Assistentenstellen erhöht worden, während die Zahl der Professorenstellen sich vergleichsweise geringfügig verändert hatte. Der Effekt war ein doppelter. Die Kommunikation zwischen Studenten und Professoren nahm ab und trieb zugleich die Assistenten, denen universitäre Aufstiegschancen versperrt waren, in Widerspruch zu den Professoren. Beider Unzufriedenheit machte sich in Kritik am Mandarinentum Luft. Gab es doch zwischen einem französischen Professor und Gott, wie Raymond Aron freimütig einräumte, nichts.

Mit Beginn des akademischen Jahres 1967/68 war der Reformplan in Kraft getreten, den der französische Erziehungsminister Fouchet bereits 1963 vorgelegt hatte. Spezialisierung und wissenschaftlich-technische Orientierung des Studiums waren die Leitwerte, die der Plan setzte, um eine Anpassung der Ausbildung an die Funktionserfordernisse der Wirtschaft zu realisieren. Gegen den staatlichen Reformplan hatte die Studentengewerkschaft UNEF seit Mitte der sechziger Jahre protestiert, ohne große Mobilisierungserfolge zu erzielen. Ein von ihr mitgetragener Studentenstreik in Nanterre im November 1967 verebbte. Erst die im Frühjahr 1968 einsetzenden unkonventionellen Aktionen kleiner studentischer Trägergruppen, die durch begrenzte Regelverletzungen, Provokationen und Tabubrüche den Universitätsbetrieb empfindlich „störten", lösten einen kontinuierlichen Mobilisierungsprozeß aus, der zum französischen Mai führte.

Die Mobilisierung der Studentenbewegung in Frankreich erfolgt spontan aus einem sich gleichsam selbsterzeugenden Handlungsprozeß heraus. Die den Protest auf dem Campus von Nanterre anstoßenden studentischen Trägergruppen, die Enragés (Wütenden) und die Bewegung des 22. März, sind Gruppen, die sich explizit auf die Vordenker der intellektuellen Nouvelle Gauche beziehen oder doch von deren Themen und Fragestellungen beeinflußt sind. Nicht nur ihre Aktionsstrategie (direkt, provokativ, situativ), sondern auch ihr Selbstverständnis (antidogmatisch, antibürokratisch, antiautoritär) fügt sich in das Koordinatensystem der Neuen Linken ein. Die Universität, welche die Enragés generell abschaffen, die Akteure der Bewegung des 22. März in eine Kritische Universität umwandeln wollen, ist für beide Gruppen bloß Aktionsforum und Ausgangspunkt für einen umfassenden, in alle Bereiche der Gesellschaft zu übertragenden, sozial-kulturellen Wandlungsprozeß, als dessen Träger sie sich sehen. Ihr Mobilisierungserfolg bleibt zunächst auf den Campus der Fakultät Nanterre beschränkt. Er hätte dort verebben können wie zuvor die Streikaktion der UNEF (Union Nationale des Étudiants de France).

Die Übertragung des Disziplinarverfahrens gegen acht Studenten aus Nanterre an die Sorbonne und repressive Maßnahmen gegen den kleinen Kern studentischer Aktivisten dort (insbesondere ein massiver Polizeieinsatz im Innenhof der Sorbonne) lösen jedoch einen Solidarisierungsprozeß der bislang schweigenden und inaktiven Mehrheit der Studenten mit der aktiven studentischen Minderheit aus. In einem Wechselspiel von studentischer Aktion und staatlicher Repression im Zuge von gewaltsamen Auseinandersetzungen zwischen Demonstranten und Polizeikräften um die Sorbonne und in den Straßen des Quartier Latin steigert sich, einer Kettenreaktion gleich, in wenigen Tagen die Mobilisierung, wobei die Dynamik der Aktionen immer mehr Schüler und Jugendliche (darunter vereinzelt auch junge Arbeiter) auf die Seite der Studenten bringt.

In die Arbeiterschaft vermittelt wird der Studentenprotest durch ein „kritisches Ereignis", das die Wahrnehmung sozial heterogener Gruppen synchronisiert: die Nacht der Barrikaden (10./11. Mai), in der Studenten und Jugendliche im Anschluß an eine friedliche Demonstration eine Enklave innerhalb des Quartier Latin besetzen. Spontan und spielerisch beginnen sie innerhalb des besetzten Gebietes, Barrikaden zu bauen; entschlossen, das durch sie abgeriegelte Gebiet erst zu verlassen, wenn die Regierung ihre Forderungen erfüllt hat. Diese beziehen sich auf die Freilassung von im Verlauf einer Demonstration festgenommenen und inhaftierten Studenten, auf die Wiedereröffnung der Sorbonne, die der Rektor schließen und von Polizeikräften bewachen ließ, und auf den Abzug der Polizei aus dem Quartier Latin. Die Barrikaden von Paris in der Nacht vom 10. auf den 11. Mai sind ein historisches Zitat. Errichtet von Schülern und Studenten in Kenntnis der Bedeutung der Barrikaden in den Tagen der Kommune (1871) und der Befreiung der Stadt von der deutschen Besatzung (1944), beschwören sie Erinnerungen an Vorbilder herauf, ohne deren Abbilder zu sein. Die Barrikaden haben keinen instrumentellen, sondern expressiven Charakter. Erst im Verlauf dieser provokativen Aktion und des ihr folgenden Polizeieinsatzes werden die Proteste der Studenten politisiert: durch das Echo der Medien, die Reaktion der Öffentlichkeit sowie die Maßnahmen der Regierung und der Gewerkschaften.

Der Aktionismus der Studenten zieht die Massenmedien an. Durch die Vermittlung zweier Radioübertragungswagen, die unmittelbar nach Errichtung der ersten Barrikaden in das besetzte Gebiet gefahren sind, wächst die Außenwirkung der Bewegung. Sie sprengt nicht nur die Grenzen des Quartier Latin, sondern wirkt weit über die Hauptstadt hinaus. Durch die Medienberichterstattung wird eine Öffentlichkeit konstituiert, die aufmerksam registriert, was passiert, und sich ein Meinungsbild macht. Der Studentenprotest springt von Paris auf die Provinz über.

Die Regierung gerät unter Erwartungsdruck und Zugzwang, wobei ihr Legitimitätsverlust droht, gleichviel, ob sie nachgiebig reagiert oder repressiv. Unter Handlungsdruck gestellt, fehlt es ihr an einer überzeugenden Handlungskonzeption und Entscheidungsfähigkeit. In Abwesenheit des Premierministers Pompidou haben die zuständigen Ressortminister Schwierigkeiten, sich zu koordinieren. Nachdem Vermittlungsversuche im Verlauf der Nacht gescheitert sind, nehmen sie Zuflucht zu einer Wahrnehmung der Situation, die durch Einschätzungen des Staatspräsidenten de Gaulle geprägt ist, und zu einer Handlungsform, welche den dem Staatspräsidenten unterstellten Erwartungen Rechnung trägt. Sie beginnen die demonstrierenden Studenten als Aufständische zu sehen, die Demonstration um die drei Forderungen der Studenten als „Aufruhr". Nach langem Zögern läßt der Innenminister die Barrikaden durch Polizei- und CRS-Truppen in den frühen Morgenstunden des 11. Mai räumen. Die Brutalität des Polizeieinsatzes ruft noch in der Nacht vehemente öffentliche Proteste hervor und führt zur Solidarisierung der französischen Gewerkschaften mit der Studentenbewegung. Sie rufen zu einem landesweiten 24stündigen Generalstreik und zu Protestkundgebungen auf, um gegen die Repression zu protestieren und den Forderungen der Studenten Nachdruck zu verleihen. Um mehr geht es zunächst nicht.

Dies ändert sich erst durch eine zweite politische Intervention. Premierminister Georges Pompidou, am Abend des 11. Mai aus Afghanistan zurückgekehrt, garantiert in einer Fernsehansprache den Studenten die Erfüllung ihrer Forderungen. Sein Nachgeben vierzehn Stunden nach dem Einsatz repressiver Gewalt wendet den bereits beschlossenen Generalstreik keineswegs ab, sondern führt dazu, daß die Gewerkschaften ihre Forderungen erhöhen. Sie fordern jetzt zusätzlich den Verzicht auf die Verfolgung aller noch anstehenden juristischen und universitären Strafverfahren gegen Studenten sowie eine demokratische Reform des Unterrichts, Vollbeschäftigung und die Transformation des ökonomischen Systems durch und für das Volk. Der Generalstreik findet am 13. Mai statt. Es ist der erste Wochentag nach der Barrikadennacht und zugleich – zufällig – der 10. Jahrestag des Militärputsches in Algerien, der das Ende der IV. Republik und die erneute Machtübernahme de Gaulles in Frankreich einleitete. Es kommt in Paris zur größten Demonstration der Nachkriegszeit: 500 000 folgen dem Aufruf der Gewerkschaften zu einer zentralen Protestkundgebung und Demonstration. Auch in den anderen Städten des Landes nehmen Zehntausende an Protestveranstaltungen teil. Gemeinsam marschieren Studenten und Arbeiter durch Paris, „Dix ans, ça suffit" skandierend. Zwar bleibt unklar, wie ein Machtwechsel sich vollziehen soll, da die Regierung im Parlament über eine sichere Mehrheit verfügt, aber aus einem Solidaritätsstreik gegen einen repressiven Polizeieinsatz ist eine politische Demonstration gegen das Regime General de Gaulles geworden.

Das Nachgeben der Regierung gegenüber den Forderungen der Studenten widerlegt die von de Gaulle zuletzt am 8. Mai zitierte Devise „Legitime Herrschaft gibt nicht nach" („Le pouvoir ne recule pas") und mobilisiert, gleichsam sekundär, andere Interessengruppen mit latenten Forderungen und Unzufriedenheiten. Junge Arbeiter einer staatlichen Flugzeugfabrik in der Nähe von Nantes nehmen am 14. Mai die Arbeit nicht wieder auf, sondern besetzen die Werkhallen, riegeln das Betriebsgelände ab und setzen den Betriebsleiter fest. Sie folgen mit ihrer Aktion den Pariser Studenten, welche die Sorbonne unmittelbar nach deren Wiedereröffnung einen Tag zuvor besetzt haben, aber auch der Agitation der Gewerkschaft Force Ouvrière, die in der Region Loire Atlantique eine anarchosyndikalistische Orientierung hat. Das Beispiel einer Fabrikbesetzung in der Provinz, von den Akteuren der Hauptstadt zunächst kaum registriert, löst in den nächsten Tagen eine Kettenreaktion aus. Der spontane Streik der Arbeiter springt über auf die Renault-Werke und von dort auf andere Betriebe. Ohne Appell der Gewerkschaftszentralen befinden sich binnen weniger Tage 7,5 bis 9 Millionen Arbeiter im Streik.

Es besteht am Vorabend der Mai-Ereignisse keine ökonomische Krisensituation in Frankreich, so daß der spontane Mobilisierungsprozeß ökonomisch-strukturell nicht erklärt werden kann. Zwar gibt es Verteilungskonflikte – insbesondere im Bereich der unteren Lohnskala – und wachsende Arbeitslosigkeit, aber die französische Wirtschaft wird von der Rezession des Jahres 1966 weit weniger erfaßt als die der Bundesrepublik und unterliegt daher geringeren ökonomischen Brüchen und Schwankungen. Frankreich gilt, aus der Sicht der Experten von OECD und INSEE, 1968 als krisenfestes und stabiles Land. Latente Unzufriedenheit, die nicht allein auf sozial-ökonomische Ursachen zurückgeführt werden kann, sondern aus den betrieblichen Autoritätsstrukturen resultiert, schlägt im Mai 1968 in kollektive Handlungsbereitschaft und eine manifeste Protesthaltung um, die gewerkschaftlicher Führung entgleitet. Der Erfolg der Studenten bei der Durchsetzung ihrer Forderungen gegen die Regierung wirkt als Beispiel. Der Erwartungshorizont für das Mögliche steigt auch bei anderen Gruppen. Neue Handlungsformen erweitern die Handlungsbereitschaft. „Wenn die Regierung den Studenten nachgibt", so die Aussage eines Arbeiters, die als typisch gelten kann, um die Stimmung der Arbeiterschaft zu skizzieren, „warum dann nicht auch uns." Es tritt ein Zustand ein, in dem alles möglich erscheint.

Zwar weisen die ersten Forderungen der Streikkomitees keine wesentlichen Abweichungen von den gewerkschaftlichen Forderungen des Vormai aus. Aber die Bewegung ist mehr als ihre gedruckten Worte. In den Vollversammlungen der besetzten Betriebe drückt sich eine kreative Unruhe aus, nicht nur Lohn- und Arbeitszeitverbesserungen, sondern Strukturreformen in den Betrieben und Unternehmen herbeizuführen. Die nichtkommunistische Gewerkschaft CFDT, in der Orientierungen, welche der Neuen Linken nahestehen, am stärksten verbreitet sind, bringt die Erwartungen auf den Begriff, indem sie am 16. Mai, zwei Tage nach Ausbruch der spontanen

Streiks, die Losung ausgibt, welche dem Streik eine neue Dimension verleiht: „autogestion" (Selbstverwaltung). Mit der Forderung nach „autogestion" strebt die CFDT eine Veränderung der Lenkungs- und Entscheidungsstrukturen in den Betrieben und Unternehmen an, den Abbau von Herrschaft und Hierarchien, die Freisetzung der Kreativität der Arbeiter durch Selbstbestimmung und Selbstverwaltung der Betriebe. Zwar bleibt unklar und offen, wie „autogestion" institutionell und rechtlich entwickelt und konkretisiert werden soll, aber die antihierarchische, antiautoritäre Komponente reicht aus, um Studentenbewegung und Arbeiterschaft in der Zielrichtung ihres Protestes zu einen. Der Demokratisierung der Universitäten soll eine Demokratisierung der Betriebe folgen oder, ausgedrückt in der Sprache der Flugblätter und Aufrufe der Zeit: „Die Monarchie in Industrie und Verwaltung ist durch demokratische Strukturen auf der Basis der Selbstverwaltung zu ersetzen." Es ist eine „communauté d'aspiration", welche Arbeiter- und Studentenbewegung eint.

Vier Tage nachdem die Forderung nach „autogestion" ausgegeben worden ist, erscheint im ‚Nouvel Observateur' ein Interview, in dem Jean-Paul Sartre seinem Gegenüber, Daniel Cohn-Bendit, erklärt: „Das Interessante an eurer Aktion ist, daß sie ‚Die Phantasie an die Macht' bringt. Wie bei jedem Menschen hat eure Phantasie zwar Grenzen, doch habt ihr mehr Ideen als die Älteren. Die Arbeiterklasse hat sich oft Kampfmittel ausgedacht, doch immer im Hinblick auf eine konkrete Situation, in der sie sich befand… Ihr habt eine viel reichere Phantasie, und die Parolen, die man an den Mauern der Sorbonne lesen kann, beweisen es. Etwas ist aus euch hervorgegangen, was erstaunt, Unruhe schafft und alles ablehnt, was aus unserer Gesellschaft das gemacht hat, was sie heute ist. Das ist es, was ich als die Ausdehnung des Feldes des Möglichen bezeichnen würde. Verzichtet nicht darauf, – „Laßt uns unsere Wünsche für die Wirklichkeit nehmen", „L'avenir est à prendre" ist auf den Mauern des seit dem 16. Mai besetzten Odéon zu lesen. Tausende ziehen täglich dorthin, um dem Prozeß der Schaffung einer neuen Zukunft beizuwohnen. Be-

setzt worden ist das Theater von Mitgliedern der Studenten-
gruppe Culture et Créativité aus Nanterre in Zusammenarbeit mit dem Happening-Künstler Jacques Lebel und dem Be-
gründer des Living Theatre Julian Beck. Ziel ihrer Aktion ist
es, ein Zeichen zu setzen, daß es nicht politischer Protest ist,
der die Demonstranten auf die Straße treibt, sondern kultureller. Für sie geht es um mehr als um die Ablösung einer
alten Regierung durch eine neue. Es geht um eine neue Sprache, ein neues Denken, ein neues Zuhören, um die Aufhebung
der individuellen Entfremdung durch Analyse und Kritik der
Gesellschaft. Ihr Manifest, überschrieben mit den Worten
„Die Phantasie übernimmt die Macht" enthält den Aufruf:
„Sabotiert die Kulturindustrie! Besetzt und zerstört ihre Einrichtungen! Erfindet das Leben neu." Im besetzten Odéon
finden keine Theaterinszenierungen mehr statt, sondern eine
Selbstinszenierung des Publikums, ein Redemarathon, an dem
sich Menschen aus allen sozialen Schichten beteiligen. Kritik
wird vorgetragen, „contestation" wird ein magisches Zauber-
wort. Das Feld des Möglichen dehnt sich aus. Aber das Mögliche verwirklicht sich nicht.

Die kommunistisch orientierte CGT geht auf „autogestion"
als Ziel des gesamtgesellschaftlichen Wandlungsprozesses nicht
ein, sondern wertet die Konzeption, die primär auf Veränderung der Macht- und Entscheidungsstrukturen, nicht der
Eigentumsverhältnisse orientiert ist, als „inhaltslose Formel"
ab. Sie bekämpft die Koalitionen von Studenten- und Arbeiterbewegung. Wo immer möglich, verhindert sie einen direkten
Kontakt zwischen Studenten und Arbeitern in den Betrieben
und grenzt sich vehement von der Symbolfigur der Studentenbewegung, Daniel Cohn-Bendit, ab. Sie setzt ihre ganze
Organisationsmacht ein, um die soziale Bewegung, die bereits
eine Paralyse des gesamten Wirtschaftslebens herbeigeführt
hat und potentiell in eine revolutionäre Situation umschlagen
kann, in die geregelten Bahnen des intermediären Interessen-
ausgleichs zu überführen. Als treibende Kraft einer schnellen
tarifvertraglichen Schlichtung, die in die Vereinbarungen von
Grenelle (27. Mai) mit Vertretern von Regierung und Unter-

nehmern mündet, entdramatisiert sie die soziale Krise, indem sie sich traditioneller Konfliktlösungsmuster bedient. Angenommen wird ihre Strategie und Zielorientierung an der Basis der Streikbewegung zunächst jedoch nicht. Die Vollversammlungen in den Betrieben begehren gegen die Tarifvereinbarungen auf. Die Arbeit wird nicht wieder aufgenommen. Die Gewerkschaften haben Lösungen angebahnt, durchzusetzen vermögen sie diese zunächst jedoch nicht. Nach dem Scheitern der Vereinbarungen von Grenelle treten sie als Akteure hinter die politischen Parteien zurück. Die soziale Bewegung tritt in eine neue Arena ein, in der sie aufgrund ihres spontanen und antiparteilichen Charakters strukturell nicht verankert ist und auf die ihre zentralen Trägergruppen konzeptionell nicht vorbereitet sind.

Entscheidend für die Zuspitzung der politischen Krise Ende Mai sind die nicht beabsichtigten Folgen konkurrierender Handlungsstrategien von Premierminister Pompidou und Staatspräsident de Gaulle. Ihre Differenzen, und das macht einen Teil der Dramatik des französischen Falles aus, werden überlagert durch einen von der konkreten Konfliktlage losgelösten Machtkampf der Inhaber der zwei wichtigsten politischen Schlüsselpositionen. Durch ihre offenen strategischen Differenzen sowie verdeckten persönlichen Rivalitäten wird das auf Kooperation angewiesene bikephale politische System Frankreichs nachhaltig gestört.

Die Politik der Beschwichtigung und des Entgegenkommens, mit der Georges Pompidou unmittelbar nach seiner Rückkehr aus Kabul auf die Ereignisse der Nacht der Barrikaden reagierte, hat de Gaulles Position „Der Staat gibt nicht nach" nicht nur aufgehoben, sondern, wie Raymond Aron konstatierte, „lächerlich gemacht". Der Machtkampf Pompidou – de Gaulle hat sich vor dem Hintergrund der Streikbewegung zugespitzt. Während Premierminister Pompidou alles auf die Karte der Tarifverhandlungen setzte, dramatisierte Staatspräsident de Gaulle die Machtfrage. Er kündigte ein auf eine Vertrauenskundgebung für seine Person zielendes Referendum an. Die mit dem Referendum notwendigerweise verbundene

Politisierung der Konfliktkonstellation erschwerte eine öko-nomisch-soziale Lösung der Krise in den Bahnen tarifvertrag-licher Konfliktregulierungsmechanismen. Sie transferierte den Protest in die politische Arena und bot den Kritikern des gaullistischen Regimes die Chance, ihr Postulat „Dix ans, ça suffit" in eine politische Entscheidung zu überführen.

Das Scheitern der Vereinbarungen von Grenelle sowie die Antizipation der Niederlage de Gaulles im Referendum gibt Plänen der Oppositionsparteien im Parlament, eine „proviso-rische Regierung" zu formieren, eine Realisierungschance. Pierre Mendès France erklärt sich am 29. Mai bereit, an die Spitze dieser Regierung zu treten, wenn er auf das Vertrauen der gesamten, geeinten Linken zählen kann. Die CGT ruft für 15 Uhr zu einer Großdemonstration von der Bastille nach Saint Lazare auf. Es ist dies der Moment, in dem Staatschef de Gaulle mit dem Hubschrauber nach Baden-Baden fliegt, über-zeugt, die Macht verloren zu haben.

Der deutsche Mai: Unweit von Baden-Baden, wo der Hub-schrauber mit dem französischen Präsidenten um 14.50 Uhr landet, in Frankfurt, ist am Vortag die Johann-Goethe-Uni-versität in Karl-Marx-Universität umbenannt und das Schau-spielhaus gestürmt worden. Am 29. Mai ziehen Studenten vor Frankfurter Betriebe, um die Arbeiter zum Generalstreik auf-zurufen: Auf dem Plan des Bundestages in Bonn steht die dritte Lesung der Notstandsgesetze. Die Aufforderung zum Generalstreik wird von Vertretern der IG Metall des Landes-verbands Bayern, vom DGB-Landesbezirk Hessen, von Teilen der ÖTV, der IG Druck und der IG Chemie unterstützt. Be-triebsräte solidarisieren sich mit den Studenten. In Köln entwerfen sie gemeinsam mit Studenten eine Resolution, die zu Schwerpunktstreiks für den 27. und 28. Mai sowie zum Generalstreik für den 29. Mai aufruft. In Frankfurt treten sie in studentischen Vollversammlungen auf. Etwas ist in Bewe-gung gekommen sowohl auf seiten der Studenten als auch der Arbeiterschaft. Der antiautoritäre Flügel hat, bedingt nicht zuletzt durch die Nachrichten, die täglich aus Frankreich kommen, einen Teil seines Mißtrauens gegen die integrierte

Arbeiterschaft aufgegeben und beginnt, die Belegschaften in den Betrieben als potentielle Rekrutierungsbasis anzusehen. Der linkssozialistische Flügel, der stets auf eine Koordination mit Teilen der organisierten Arbeiterbewegung gesetzt hat, beginnt, eine Mobilisierungschance auch außerhalb der Organisationen wahrzunehmen. Gleichviel, ob in Frankfurt, München oder Berlin, die Studenten beginnen, vor die Fabriktore zu ziehen. Doch der Generalstreik kommt nicht. Zwar kommt es, während der Bundestag am 29. und 30. Mai die dritte und letzte Lesung der Notstandsgesetze durchführt, zu kurzen Arbeitsniederlegungen und Warnstreiks in einzelnen Betrieben, doch das Signal, auf das die Studenten hoffen, das Signal des Widerstands, ausgesprochen durch einen politischen Streik, bleibt aus.

Dieses Signal war in Deutschland, das die Tradition des politischen Streiks nicht kennt, kaum zu erwarten. Bereits die Reaktion der Arbeiterschaft auf den 2. Juni 1967, einem der Barrikadennacht vergleichbaren „kritischen Ereignis", hatte dies gezeigt, ebenso wie die Reaktionen auf das am 11. April 1968 verübte Attentat auf Rudi Dutschke. Die Arbeiterschaft war in ihrer Breite durch die Berliner Ereignisse nicht mobilisiert worden, weder zu spontanen Einzelaktionen noch zu einem organisierten Sympathiestreik. Zwar gab es einzelne Gewerkschafter, die den Kontakt zu den Studenten suchten, doch verfügten sie innerhalb der Einheitsgewerkschaft über keine Durchsetzungskraft. Um spontane Einzelaktionen auszulösen, fehlte es der Neuen Linken an Kadern in der Arbeiterschaft und an einer Sprache, die von denen, die mobilisiert werden sollten, verstanden werden konnte. Auf Bandwurmsätze mit marxistischer Terminologie oder Begriffen der Kritischen Theorie war weder die organisierte noch die unorganisierte Arbeiterschaft eingestellt. Und eine magische Formel wie „autogestion", die in Frankreich die heterogenen Akteure vorübergehend einte, konnte angesichts der langen Kämpfe um die Betriebs- und Unternehmensverfassung kein politisches Ziel der Gewerkschaftsbewegung sein, da diese das Konzept der Mitbestimmung verfocht. So gab es keine den

Protesten der Studentenbewegung parallele Streikaktion in der Bundesrepublik 1967/68, wenngleich die ökonomische Rezession und das politische Klima unter der Großen Koalition eine latente Protesthaltung schürten. Die Verknüpfung zwischen Studentenbewegung, einzelnen Repräsentanten der Gewerkschaften und Intellektuellen, die in einigen lokalen Zirkeln zustande kam und auf nationaler Ebene zu einer vom SDS und der Außerparlamentarischen Opposition gegen die Notstandsgesetze vereinbarten Koordinierung der Protestaktionen führte, war primär gegen die mit den Notstandsgesetzen verbundene Verfassungsänderung gerichtet. Sie hatte damit ein von vornherein institutionell begrenztes Ziel, das unterhalb der allgemeinen Emanzipationsprojektion eines Gegenentwurfs zur bestehenden Gesellschaftsordnung lag.

Vor dem Hintergrund der verbreiteten Auffassung eines Nachlebens des Nationalsozialismus in der Demokratie (Adorno) und der potentiellen Wiederholbarkeit der Ereignisse der jüngsten Vergangenheit (Adorno, Arendt, Enzensberger) wirkte diese vergleichsweise defensive Strategie jedoch mobilisierend. Das Kuratorium Notstand der Demokratie, das unter Leitung des ehemaligen SDS-Vorsitzenden Helmut Schauer Repräsentanten der Gewerkschaften, der Kampagne für Abrüstung (Ostermarsch der Atomwaffengegner) sowie der linksliberalen Intelligenz umfaßte, organisierte anläßlich der zweiten Lesung der Notstandsgesetze am 11. Mai 1968 einen „Sternmarsch auf Bonn", an dem sich über 60 000 Demonstranten beteiligten. Der Großdemonstration folgten Kundgebungen sowie gegen Mitternacht ein teilweise im Laufschritt durchgeführter Marsch zur französischen Botschaft. Das aus Protest gegen die Schließung der Sorbonne und die Repression der französischen Polizei in der vorangegangenen Nacht geplante Go-in wurde jedoch durch Polizeiketten verhindert, die den Demonstranten den Zugang zur Botschaft versperrten. Flankiert worden war der „Sternmarsch auf Bonn" durch eine Veranstaltung in der Dortmunder Westfalenhalle, zu der der DGB aufgerufen hatte. Als Dachverband der Gewerkschaften hatte auch er die geplanten Notstandsgesetze kritisiert, indes intermediäre Wege der Einflußnahme und Kritik vor allem über die sozialdemokratischen Abgeordneten gesucht. An dieser Strategie, die ihm die Kritik eintrug, seine politische Vernunft dem Interesse des sozialdemokratischen Parteiapparates unterzuordnen, hielt die DGB-Spitze bis zuletzt fest. Zwar fuhren einige Gewerkschaftsmitglieder nach Abschluß der Dortmunder Veranstaltung noch nach Bonn, aber die Initiative einzelner vermochte die Spaltung innerhalb der organisierten Arbeiterbewegung nicht zu verdecken.

Paris-Bonn, 30. Mai 1968: Das Projekt einer „provisorischen Regierung" unter Pierre Mendès France scheitert. Die linken Oppositionsparteien vermögen sich in der Zeit, in der Staatspräsident de Gaulle verschwunden ist und nicht einmal Premierminister Pompidou weiß, wo er sich befindet, auf kein einheitliches Vorgehen zu einigen. Wie die CGT gegen das Konzept der „autogestion", mobilisiert die Kommunistische Partei Frankreichs (PCF) ihre Organisationsmacht gegen eine mögliche Übergangsregierung unter Pierre Mendès France. Auch die vereinigte Linke unter Führung von François Mitterrand, die Fédération de la Gauche Démocratique Socialiste (FGDS), unterstützt ihn nur bedingt. Der Dissens innerhalb der alten Linken verhindert die Formierung einer einheitlichen linken Opposition gegen das gaullistische Regime. Die nichtkommunistische Neue Linke in der Mai-Bewegung entwickelt keine politische Handlungskonzeption. Sie zerfällt in Verteidiger einer basisdemokratischen Mobilisierung von Aktionsgruppen, die sich national nach rätedemokratischem Vorbild koordinieren wollen, und Verfechtern einer neuen linken Parteigründung. Die Chance eines Machtwechsels realisiert sich nicht. Die große Parallelaktion von Studenten- und Arbeiterbewegung, welche die französische Gesellschaft erschütterte und das gaullistische Regime ins Wanken brachte, zerfällt. Das einigende Band der Neuen Linken ist zu schwach, die organisierten Interessen der alten Linken setzen sich durch.

De Gaulle, der nach Aussage seines Adjutanten entschlossen war, sich nach Irland, ins Land seiner Vorväter, zurückzuziehen, flog nach einem zweistündigen Gespräch mit General

Massu von Baden-Baden nach Frankreich zurück und kündigte noch am Abend eine Radioansprache für den 30. Mai an. In seiner Ansprache verzichtet er auf ein Referendum und gibt statt dessen seine Entscheidung für Neuwahlen des Parlaments bekannt. In Paris kommt es zu einer Großdemonstration des gaullistischen Lagers. Drei- bis 400 000 Menschen versammeln sich, um über die Champs-Elysée zur Étoile zu ziehen, Parolen wie „Räumt die Sorbonne aus", „Frankreich den Franzosen", „Cohn-Bendit nach Deutschland", „Cohn-Bendit nach Dachau" skandierend. Die Entscheidung für Neuwahlen verlagert den Konflikt in die institutionalisierten Bahnen des demokratisch-kompetitiven Parteiensystems. Die politische und soziale Krise löst sich rasch auf.

Mit der Annahme der Notstandsgesetze durch den Bundestag in Bonn am 30. Mai beginnt auch in Deutschland der Zerfall der Außerparlamentarischen Opposition. Die Gewerkschaften ziehen sich aus dem Kuratorium Notstand der Demokratie zurück, das sich im August offiziell auflöst. Die Kampagne für Abrüstung gerät durch den Wegfall dieses Forums, das ihre Aktionen mit den Gewerkschaften koordinierte, in eine Krise. Resignation vieler Mitglieder, Zahlungsunfähigkeit (für den Sternmarsch auf Bonn waren 350 000 DM ausgegeben worden, die in den folgenden Monaten nicht voll abgedeckt werden konnten) und interne Differenzen (u. a. über den Einmarsch von Truppen des Warschauer Paktes in die CSSR im August 1968) führen dazu, daß bereits 1969 kein Ostermarsch mehr organisiert werden kann, die Geschäftsstelle geschlossen werden muß und die Kampagne sich auflöst. Auch innerhalb des SDS deuten sich Krisenphänomene und erste Selbstauflösungstendenzen an: So vermögen die Teilnehmer der 23. Delegiertenkonferenz sich nicht auf die Wahl eines Bundesvorsitzenden zu einigen. Nicht einmal die „Internationale" vermag die Delegiertenkonferenz zum Abschluß noch gemeinsam zu singen. Konsensfindung und Beschlußfassung werden durch gravierende interne Widersprüche gelähmt, doch die Aktionen an den Universitäten setzen sich fort.

IV. Widersprüche:
Zerfall und Nachwirkungen der Bewegung

Permanente Mobilisierung ist schwierig für schwach organisierte Akteure. Soziale Bewegungen sind daher ständig von Auflösung und Zerfall bedroht. Organisation ist ein Mittel zur Stabilisierung des Bewegungszusammenhanges. Die Gründung von Zeitschriften, um neue Akteure zu gewinnen, ist ein anderes Mittel. Gestützt werden kann der Zusammenhang sozialer Bewegungen aber auch durch die Bildung von Subkulturen, die die Kommunikation innerhalb des Netzwerkes mobilisierter Gruppen verdichten, oder durch charismatische Führer, die die Bewegung repräsentieren und kraft ihrer Persönlichkeit integrieren. Doch ist die Wirkung all dieser Mittel zwiespältig. Sie können die Bewegung auch spalten und die Mobilisierung brechen. Die 68er Bewegung, die sich als neue linke Bewegung versteht, zeigt im Prozeß ihres Zerfalls exemplarisch das Dilemma sozialer Bewegungen auf. Sie zerfällt in der Auseinandersetzung mit der Organisationsfrage in rivalisierende Gruppen, Parteien, Sekten und Subkulturen. Sie spaltet sich und verliert an Unterstützung ferner in der Auseinandersetzung mit der Gewaltfrage, die sich im Prozeß der Radikalisierung der Aktionen stellt und den Konflikt um die Organisationsfrage zuspitzt.

1. Sezession:
Die Organisations- und Gewaltfrage

USA, August 1968: Am 5. Juni wird Senator Robert Kennedy Opfer eines Attentats. Tom Hayden und mehrere andere SDS-Mitglieder entschließen sich, nach New York zu fahren. Bevor die offiziellen Trauerfeierlichkeiten in der St. Patrick's Cathedral beginnen, werden sie in der Nacht von einem Mitarbeiter Kennedys in die Kathedrale eingelassen. Gemeinsam mit Priestern und Mitgliedern der Familie durchwachen sie die Nacht, in deren Verlauf Tom Hayden aufgefordert wird, die Toten-wache mit zu übernehmen. Neben dem Sarg Kennedys ste-hend, bricht er in Tränen aus. Als er am Morgen die Kathe-drale verläßt, gibt es nur noch einen Gedanken in seinem Kopf: „Auf nach Chicago."

Der Parteitag der Demokraten, der am 25. August 1968 beginnt, soll gezwungen werden, vor der Wahl des Präsident-schaftskandidaten zum Krieg in Vietnam Stellung zu nehmen. Aus allen Teilen des Landes sind Kriegsgegner angereist, doch bleibt die Zahl der Demonstranten weit hinter den Erwartun-gen der Organisatoren zurück. Statt der erhofften 300000 sind 10000 gekommen. Angst vor gewaltsamen Konfronta-tionen mit der Polizei hat viele potentielle Teilnehmer vor allem aus der Friedensbewegung abgeschreckt. Was Jerry Rubin und Dave Dellinger, die bereits den „Marsch auf das Pentagon" (Oktober 1967) organisiert haben, für Chicago vorschwebt, ist eine Demonstration der „militanten Nicht-Gewalt" (Gitlin 1987: 320). Rubin versteht darunter die Or-ganisation eines „Festivals des Lebens". Er will Chicago zum Forum der Selbstdarstellung der Yippies machen, der von ihm und Abbie Hoffman Ende 1967 gegründeten Internationalen Jugendpartei. Sein Plan sieht neben der Organisation von Rockkonzerten und Dichterlesungen sowie dem Aufmarsch von Nudisten für den Frieden u. a. vor, ein Schwein zum Prä-sidentschaftskandidaten zu küren und dieses durch die Stra-ßen zu führen.

Die „anarchistische Verrücktheit" der Yippies ablehnend, hat die Black Panther Party ihre Mitwirkung an der Organisa-tion der Demonstration zurückgezogen. Erst die strategische Überlegung, daß die Kulturrebellion der jungen Weißen eine Etappe auf dem Weg zu einer revolutionären Strategie sein könne, leitet unmittelbar vor Beginn der Demonstration eine Revision ihrer Entscheidung ein. Auf Bitten Tom Haydens kommt Bobby Seale, einer der führenden Repräsentanten der Black Panther, nach Chicago, um zu den Teilnehmern der Demonstration zu sprechen.

Repression gegen die Bewegung vorausdenkend, hat Hay-

den im Vorfeld der Demonstration in Kategorien der Gegenwehr gedacht. Zwar hat er nicht zu Gewaltaktionen aufgerufen, gewaltsamen Widerstand aber nicht ausgeschlossen. „Wir
werden auf der Straße NEIN sagen", erklärt er noch einen
Tag vor Beginn des Parteitages, „viele von uns werden keine
guten Deutschen sein unter neuen Nazis" (Miller: 298). Wor-
um es ihm geht, ist, der Welt zu zeigen, daß die amerikanische
Regierung nicht das amerikanische Volk repräsentiert. „If
you're going to Chicago, be sure to wear some armor in your
hair", ironisiert der Soziologe Todd Gitlin die Ambivalenz, die
hinsichtlich der Gewaltfrage in der Bewegung entstanden ist
(Gitlin 1987: 324). Es ist Bobby Seale, der Repräsentant der
Black Panther Party, der Gewalt als Gegenwehr gegen rassisti-
sche Unterdrückungsstrukturen offen vertritt.

Der Bürgermeister von Chicago, Richard J. Daley, der im
April, während der Rassenunruhen nach dem Attentat auf
Martin Luther King, die Anordnung zur Erschießung von
Plünderern gegeben hat und eine friedliche Antikriegsdemon-
stration gewaltsam auflösen ließ, hat für den Zeitraum des
Parteitages der Demokraten rund um die Uhr jeweils 12 000
Polizisten zum 12-Stunden-Einsatz verpflichtet. Sie werden
unterstützt von 6000 Nationalgardisten, FBI-Agenten und
6000 Soldaten der US-Armee, die in den Vorstädten postiert
sind. Nach der Vertreibung der Demonstranten aus dem Lin-
coln Park in drei aufeinanderfolgenden Nächten spitzt sich die
Situation im Verlauf des vierten Tages des Parteikonvents
dramatisch zu.

Der Plan der Demonstranten, parallel zur Proklamation des
neuen Präsidentschaftskandidaten der Demokraten vor dem
Hilton Hotel zu protestieren, in dem die Rivalen, Hubert
Humphrey und Eugene McCarthy, ihr Hauptquartier einge-
richtet haben, wird von der Nationalgarde durchkreuzt. Sie
marschiert vor dem Grant Park, dem neuen Zufluchtsort der
Demonstranten, in voller Kampfausrüstung auf (mit Bajonet-
ten, Maschinengewehren und Gasmasken). Gemeinsam mit
der Polizei geht sie, nachdem ein Demonstrant, der später als
Agent provocateur der Polizei eingestuft wird, die amerikani-

sche Flagge von einem Fahnenmast geholt hat, gegen die Demonstranten vor.

Die Demonstranten fliehen aus dem Park in die Straßen Chicagos. Im Umkreis des Hilton Hotels kommt es zu einer Straßenschlacht, wobei auch zahlreiche Journalisten, Photographen und Kameramänner zu Opfern des Vorgehens von Nationalgardisten und Polizisten werden. Während der Konfrontation mit der Polizei beginnen die Demonstranten, der Aufmerksamkeit der Medien bewußt, zu singen: „Die ganze Welt sieht zu. Die ganze Welt sieht zu." Enttäuscht über den Verzicht der Demokraten, eine Resolution zum Vietnamkrieg zu verabschieden, verbittert über die Wahl Humphreys und über das amerikanische Parteiensystem überhaupt, schreien sie ihre Wut heraus und beginnen, sich als „Straßenkämpfer" für eine „andere" Demokratie zu sehen. „Aber", so Hayden selbstkritisch am Ende der Aktion, „hört irgend jemand zu?" Die Mehrheit der Bevölkerung in den Vereinigten Staaten billigt die repressiven Maßnahmen gegen die Antivietnamkriegsbewegung in Chicago. Humphrey unterliegt im Kampf um die Präsidentschaft Richard Nixon. Den Organisatoren der Chicagoer Demonstration wird der Prozeß gemacht, Tom Hayden zu fünf Jahren Gefängnis wegen Beteiligung an einer Verschwörung verurteilt.

Innerhalb der amerikanischen SDS, die sich nur mit rund 500 Mitgliedern an der Chicagoer Demonstration beteiligt haben, löst die gewaltsame Konfrontation mit der Polizei vehemente Debatten aus. Zahlreiche lokale Gruppen werden von der maoistischen PL-Fraktion beherrscht, die gegen die Strategie der Konfrontation aufbegehrt, weil sie die Arbeiterklasse der Bewegung entfremde, und statt dessen für Basisarbeit in den Betrieben zur Errichtung einer Arbeiter-Studenten-Allianz plädiert. „Organisation statt Aktion", heißt ihre Maxime. Die Verteidiger einer „Widerstandsstrategie" unter Einschluß des „Straßenkampfes", die Aktion statt Organisation als Voraussetzung für einen Umbruch gesellschaftlicher Strukturen ansehen, befinden sich vor allem unter den Mitarbeitern des Nationalen Büros der SDS. In ihrer Gegnerschaft gegen die Maoisten sehen sie sich geeint mit den seit Frühjahr 1968 in den SDS auftretenden Verfechtern einer „Revolutionären Jugendbewegung" (Revolutionary Youth Movement – RYM). Aus den „Straßenkampf" befürwortenden Mitgliedern des Nationalen Büros sowie aus Teilen der RYM-Fraktion gehen im Sommer 1969 die „Weathermen" hervor. Sie wenden sich an die „weiße Jugend", die, an der Black Panther Party und den Befreiungsbewegungen orientiert, einer revolutionären Strategie und Taktik folgen wollen. Uneinig in der Definition des revolutionären Subjekts (Arbeiterklasse oder Jugend und Befreiungsbewegungen), betonen die konkurrierenden Gruppen die Notwendigkeit, eine revolutionäre Kaderpartei zu bilden. Damit sagen sie sich von der Grundlage der Neuen Linken los, die keine Partei, sondern Bewegung sein wollte und der hierarchisch-bürokratischen Struktur der (Kader-)Partei das basisdemokratische Prinzip der „participatory democracy" entgegengesetzt hat. Dogmatismus, Elite- und Ausschlußdenken beginnen neu zu greifen. Die Mitglieder der Nationalen Büros, die Weathermen und die nicht zu diesen übergegangenen Reste der RYM-Fraktion versuchen im Sommer 1969, die maoistische PL-Fraktion auszuschließen mit Parolen wie „Wir sind die SDS", „Alle Macht dem Volk. Ho-Ho-Ho-Chi-Minh". Ohne Erfolg. Die SDS sind gespalten.

Mark Rudd, von den Medien als Initiator der Besetzung der Columbia University zur Personifikation der SDS gemacht, wagt in dieser Situation den Versuch, den SDS wenigstens eine einheitliche Spitze zu geben. Eine Bewegung brauche, so sein Argument, Führung und Symbole. Er bietet seinen Namen als Symbol an. Vergeblich. Zwar verfügt er über charismatische Eigenschaften, aber wie bereits zuvor Tom Hayden steckt er in dem Dilemma, Führer in einer führerlosen Bewegung zu sein. Hayden, der sich anfangs bewußt gegen eine Führerrolle sperrte, diese später als externer Koordinator jedoch wahrzunehmen versuchte, erklärt die Abneigung gegen Führungspersönlichkeiten rückblickend mit der Existenz „einer Vielzahl starker männlicher Egos" unter den SDS, deren Rivalität durch das Rotationsprinzip strukturiert worden sei. Wenn sich dennoch einer mit einem „unzerbrechlichen Ich" weiter vorgewagt habe, sei alles getan worden, um ihn zu erniedrigen (Miller: 272). Gespalten über die Formen, Ziele und Adressaten ihres Kampfes, lösen sich die SDS 1969/70 auf. Die Weathermen gehen in den Untergrund.

Frankreich, September 1968: Bereits auf dem Höhepunkt der Mai-Bewegung ist die Bewegung des 22. März dem „Starkult" entgegengetreten, den die Medien um Daniel Cohn-Bendit inszenierten. Entschieden bestanden die Mitglieder darauf, daß Cohn-Bendit keine langen Erklärungen abgab, nachdem er, illegal von einer Agitationsreise über die deutsch-französische Grenze nach Paris zurückgekehrt, in der besetzten Sorbonne mit Ovationen empfangen worden war. Sie beschlossen vielmehr, daß er für den nächsten Tag eine Pressekonferenz ankündigen sollte, auf der sie mit der Erklärung auftraten: „Cohn-Bendit, das sind wir alle." Keine Möglichkeit sehend, sich in die Gruppe zu reintegrieren, entschied sich Cohn-Bendit, Frankreich zu verlassen und in die Bundesrepublik zurückzukehren.

Die Bewegung des 22. März wird im Moment des Niedergangs der Mai-Bewegung am 12. Juni 1968 vom französischen Innenminister Raymond Marcellin verboten, zeitgleich mit sechs anderen gauchistischen Gruppen, darunter die maoistische Union des Jeunesses Communistes (marxistes-leninistes), UJC (ml). Serge July, ein Mitglied der Bewegung des 22. März, der den Anspruch erhebt, die Gruppe zu repräsentieren, gründet gemeinsam mit Maoisten der UJC (ml) im September 1968 eine neue Organisation: die Gauche Proletarienne. Diese neue Organisation wird, nach Auffassung Cohn-Bendits, ein „Ort des Mikro-Totalitarismus" und kehrt damit die Leitwerte der Bewegung des 22. März um (Cohn-Bendit 1987: 89). Sie will eine „proletarische Avantgarde" sein und erklärt den Übergang zum bewaffneten Kampf zu ihrem strategischen Ziel. Die Mehrheit der Maoisten der UJC (ml) wendet sich dem Aufbau einer revolutionären Partei zu und fordert zunächst und vor allem eine theoretische Schulung ihrer Mitglieder. Den „spontaneistischen" Kurs der

Minderheit kritisierend, die sich der Gauche Proletarienne angeschlossen hat, prägen die Maoisten zur Etikettierung ihrer Rivalen den Begriff „Mao-Spontex". 30 bis 40 Mitglieder zählt die Gauche Proletarienne in ihren Anfängen in Paris.

Exemplarisch tritt sie im Juni 1969 in Flins hervor. In das Werksgelände von Renault dringen am 17. Juni zur Zeit des Schichtwechsels Schüler und Studenten ein, die Flugblätter mit Kritik an den „kleinen Chefs" (Werkmeister, Abteilungsleiter) verteilen und die Arbeiter aufrufen, gegen deren Schikanen aufzubegehren. Es kommt zur Schlägerei zwischen den Eindringlingen und den Werkmeistern sowie leitenden Angestellten. Ziel der Aktion ist die Präzisierung des „antidespotischen Kampfes". Nicht Lohnerhöhungen („Bettelei um Brosamen"), sondern Veränderung der „sklavischen Arbeitsbedingungen" heißt die Parole, mit der die Gauche Proletarienne die Arbeiterschaft zu mobilisieren und zugleich die Gewerkschaftsstrategie in den Betrieben zu kritisieren versucht. Die Aktion in Flins ist der Auftakt einer Kette von Aktionen, bei denen es in der folgenden Zeit auch zu Besetzungen, Einsperrungen von Fabrikanten, Prügeleien mit der Polizei, Sabotageakten sowie zur Entführung eines Unternehmers kommt. Was sie mit Worten fordert, führt die Gauche Proletarienne indes nicht durch: den Übergang von der gewaltsamen zur bewaffneten Aktion. Die Bindung ihrer Aktionen an konkrete Konflikte in den Betrieben, die Personalisierung dieser Konflikte in Anti-Chef-Kampagnen, die konkrete Personen, nicht anonyme Vertreter des Systems anklagen, sowie die Bezogenheit auf die Arbeiterschaft, die sie durch ihre Aktionen zu gewinnen versucht, hält die Gauche Proletarienne vor dem Schritt zum Terrorismus zurück.

Verboten im April 1970 durch ein „Gesetz gegen die Kaputtmacher" („loi anti-casseurs"), entscheiden sich führende Mitglieder gegen die Fortsetzung ihrer Aktionen aus dem Untergrund. An die Spitze ihrer ebenfalls verbotenen Zeitschrift stellt sich Jean-Paul Sartre. Er kann die Verurteilung des Repräsentanten der Gauche Proletarienne, Alain Geismar, zu einer Gefängnisstrafe von 18 Monaten nicht abwehren. Durch seine Solidarität und Gesprächsbereitschaft stellt er jedoch eine Verbindung zwischen der Gauche Proletarienne, den Linksintellektuellen und der demokratischen Öffentlichkeit her. Gemeinsam mit Simone de Beauvoir beteiligt er sich 1971 an der Gründung der Zeitschrift ‚J'accuse‘, die die Unterdrückungsmaßnahmen gegen Maoisten sowie repressive Aktionen der Regierung Pompidou gegen Jugendliche und Ausländer anklagt. Und auch an einem zweiten Projekt, das aus dem Kreis der Gauche Proletarienne hervorgeht, beteiligt er sich: der Gründung der Tageszeitung ‚Libération‘ (Mai 1973), die die Presselandschaft in Frankreich verändert und als erfolgreichster Versuch angesehen werden kann, Kommunikationsstrukturen durch die Schaffung einer „Gegenöffentlichkeit" zu verändern.

Italien, September 1968: Die französische Mai-Bewegung hat in Italien die operaistischen und marxistisch-leninistischen Gruppen innerhalb der Studentenbewegung, die sich für eine Verlagerung der Proteste von den Hochschulen in die Betriebe einsetzen, bestärkt. Das antiautoritäre Lager (Potere Studentesco), das die Hochschule als Ausgangspunkt des Mobilisierungsprozesses betrachtet, hat dagegen an Einfluß verloren. Nachdem die Sommerferien die Aktionen beider Gruppen unterbrochen haben, kommt es auf einem nationalen Studentenkongreß in Venedig vom 2. bis 7. September 1968 zu einer Auseinandersetzung zwischen den konkurrierenden Lagern. Gerungen wird um die Strategien, mit denen der Mobilisierungsprozeß wieder entfacht werden kann. Vorgenommen wird zugleich eine kritische Bestandsaufnahme der Bewegung, ihrer Erfolge und Mißerfolge seit März 1968.

Auf dem Kongreß wird festgestellt, daß die Studentenbewegung durch die zunehmende Ausrichtung ihrer Aktionen auf die Arbeiterschaft an Unterstützung im studentischen Milieu verloren hat. Die aktive Beteiligung der Studenten an Aktionen der Bewegung ist zurückgegangen. Zugleich ist eine Kluft zwischen den Studenten, die sich auf die „Fabrikarbeit" konzentrieren, und dem Rest der Studentenbewegung entstanden.

Vor diesem Hintergrund betonen Vertreter von Potere Studentesco wie Luigi Bobbio die Notwendigkeit der Aufrechterhaltung eines festen Rückhalts in den Universitäten und unter den Studenten. Durchzusetzen vermögen sie sich mit dieser Position indes nicht. Die marxistisch-leninistischen Gruppen, die sich im Sommer zur Unione dei Comunisti Italiani (m–l) zusammengeschlossen haben, fordern die Schaffung einer Parteiorganisation zur Weiterführung des Mobilisierungsprozesses. Auch das operaistische Lager schreibt der Organisation eine entscheidende Rolle im Prozeß der weiteren Mobilisierung zu. Deutlich grenzen seine Vertreter sich jedoch vom Organisationskonzept der Marxisten-Leninisten ab. Dem Modell der leninistischen Kaderpartei, die „von außen" in die Arbeiterschaft interveniert, um diese aufzuklären und zum Bewußtsein ihrer Rolle zu führen, setzen die Operaisten das Konzept der „internen Massenavantgarde" entgegen. Ihre Aufgabe soll es sein, als in der Masse verankerte Avantgarde die Vorstellungen und Bedürfnisse der Arbeiter zu erkennen und deren politisches Bewußtsein zum Ausdruck zu bringen. Vor dem Hintergrund dieser internen Gegensätze gelingt es dem Studentenkongreß in Venedig nicht, eine einheitliche Handlungsstrategie zu bestimmen.

So versucht das antiautoritäre Lager um Potere Studentesco im Herbst/Winter 1968, nach Berliner Vorbild in Trient eine Kritische Universität zu gründen, um den antiinstitutionellen Kampf an den Hochschulen fortzuführen. Es setzt damit weiterhin auf den Aufbau von Gegeninstitutionen zur Veränderung bestehender Institutionen und, wie Dutschke definiert hat, zur „Mobilisierung von Minderheiten". Vom SDS übernommen worden ist bereits im Frühjahr 1968 auch das Konzept der Anti-Springer-Kampagne. Unter der Parole ‚La Stampa = Springer' ist die Berichterstattung der Zeitung ‚La Stampa' (Turin) kritisiert worden, die die italienischen Studentenproteste als „linksfaschistisch" gebrandmarkt hatte. Die Anti-Stampa-Kampagne mündete am 1. Juni 1968 in den Versuch, die Zentrale von ‚La Stampa' zu erstürmen. Als „Spontaneismus" verwerfen Operaisten und Marxisten-Leninisten im Herbst 1968 die provokativen Aktionen der Antiautoritären, wenngleich die mit ihnen verbundene Verlagerung der Proteste von den Hochschulen auf die Straßen und Plätze der Städte ihnen Sympathisanten zugeführt hat. Für die Marxisten-Leninisten wird die Universität lediglich zum Rekrutierungsfeld revolutionärer Kader ihrer neuen Partei, der UCI (m–l), die sich als Nachfolgeorganisation der Studentenbewegung versteht. Die Operaisten erkennen die Impulse an, die von den antiautoritären Trägergruppen um Potere Studentesco ausgegangen sind, weil sie den neuen Aktions- und Mobilisierungsstrategien zuschreiben, die Trennung von Führung und Basis in der Aktion überwunden zu haben. Sie schlagen jedoch vor, aus den Erfahrungen der Studentenbewegung Konsequenzen zu ziehen.

Zu den Erfahrungen gehört auch die Eskalation der Gewalt, zu der die antiautoritäre Aktionsstrategie seit März 1968 geführt hat. Die provokativen Aktionen „radikaler Minderheiten" haben die Öffentlichkeit auf die Anliegen der Studenten aufmerksam gemacht sowie weite Teile der Studentenschaft zur Nachahmung „begrenzter Regelverletzungen" angefacht. Überführt in Aktionismus, hat die „provokative Aktion" jedoch eine Radikalisierung der Aktion und Repression bewirkt, die die Studentenbewegung gespalten und in der Öffentlichkeit eine ablehnende Haltung erzeugt hat. Die erhoffte Massenbeteiligung ist ausgeblieben. Die Konsequenz, die Vertreter der Operaisten wie Adriano Sofri daraus ziehen, ist die Abkehr von immer neuen spektakulären und sich steigernden Aktionen. Um der Gefahr der Isolierung zu entgehen, gilt es aus ihrer Sicht, die Studentenbewegung in eine außerparlamentarische Opposition zu überführen. Als Vorbedingung dafür sehen sie die Schaffung einer an der Arbeiterschaft orientierten Massenavantgarde an. Die Strategie impliziert die Rückbindung der Transformation der Gesellschaft an die Arbeiterklasse. „Il Potere Operaio" versucht, Studenten zu rekrutieren, die, ausgehend von konkreten Mißständen in den Betrieben, mit den Arbeitern zusammenarbeiten und deren Interessen artikulieren.

Die Unruhen, die in zahlreichen Betrieben mit Beginn des akademischen Jahres 1968/69 aufbrechen, geben den operaistischen Gruppen Gelegenheit, ihre Strategie in die Praxis zu überführen. Verstärkt wenden sich einzelne Gruppen den Technikern und Angestellten zu, deren Proteste Kritik am System der Arbeitsteilung und der betrieblichen Organisation deutlich werden lassen. Im Zentrum der Agitation bleiben jedoch die Massenarbeiter, die an- und ungelernten, nicht gewerkschaftlich organisierten Arbeiter. Erste sichtbare Erfolge der gegen die Gewerkschaften gerichteten Mobilisierungsstrategie zeichnen sich ab, als am 3. Juli 1969 in Turin im Rahmen einer gewerkschaftlich organisierten Demonstration ein zweiter, „außergewerkschaftlicher Demonstrationszug" auftaucht. „Arbeiterautonomie" heißt die Parole, unter der zu Arbeitskämpfen aufgerufen wird, die von gewerkschaftlicher Leitung unabhängig sind. Eine am 26. und 27. Juli 1969 in Turin durchgeführte „Arbeiter- und Studentenversammlung" versucht, die Aktionen der außergewerkschaftlichen Arbeitergruppen zu koordinieren. Vor dem Hintergrund landesweiter Unruhen unter der Arbeiterschaft absorbiert die Arbeit in den Betrieben die studentischen Kader. Sie verlieren ihre Basis an den Hochschulen. Die Studentenbewegung löst sich auf. Die Studenten, die sich weiterhin engagieren, bezeichnen sich als „politische Militante".

Bundesrepublik, November/Dezember 1968: Die 23. Delegiertenkonferenz des SDS, die im September wegen mangelnder Einigkeit in der Organisationsfrage abgebrochen worden ist, nimmt, als sie am 20. November in Hannover fortgesetzt wird, die Form eines Happenings an. Die antiautoritäre Revolte, kommentiert am 25. November im ‚Spiegel' der langjährige Gefährte Dutschkes, Bernd Rabehl, zerstöre die eigene Organisation. Mag die Form noch antiautoritär sein, die Mehrzahl der Delegierten befindet sich bereits auf dem Weg in neue Organisationen, deren hierarchische Binnenstruktur und dogmatische Ausrichtung der kognitiven Orientierung und dem Selbstverständnis der Neuen Linken (antibürokratisch, antihierarchisch, antidogmatisch) widerspricht. Gleichviel, ob DKP (Deutsche Kommunistische Partei), KPD/AO (Kommunistische Partei Deutschlands/Aufbauorganisation), KBW (Kommunistischer Bund Westdeutschlands), PLPI (Proletarische Linke Parteiinitiative) oder Rote Zellen, die neuen Organisationen nehmen Partei- oder Sektenform an und fallen damit hinter das zurück, was den SDS auszeichnete: eben keine, wie Hans Magnus Enzensberger es ausdrückte, „Mitgliedergeschichte" zu sein. Die Antiautoritären lösen sich in Subkulturen auf, die sich um Zeitschriften wie die RPK (Rote Presse Korrespondenz) gruppieren, oder um Projekte (antiautoritäre Kinderläden, Frauen- und Selbsthilfegruppen, Wohngemeinschaften, Randgruppenprojekte, Bürgerinitiativen, Aktionskomitees, Ad-hoc-Gruppen), die alternative Lebensformen aufzubauen und neue politische Handlungsformen zu erproben versuchen. Die K-Gruppen binden ihre Transformationsstrategien an die Arbeiterklasse zurück. Sie spiegeln eine Entwicklung, die Rudi Dutschke resigniert die „Anti-Marcuse-Welle" nennt. Von London aus, wo er unter der Bedingung, sich nicht politisch zu engagieren, nach dem Attentat Zuflucht gefunden hat und – noch immer auf dem Weg, seine Sprache zurückzugewinnen – nur überleben kann, weil Rudolf Augstein ihn und seine Familie monatlich mit 1000 DM unterstützt, beobachtet er die Entwicklung.

Wie Daniel Cohn-Bendit und Tom Hayden ist auch ihm der „Starkult", den die Presse um ihn inszeniert hat, angelastet worden. Ein Titelphoto auf der Zeitschrift ‚Capital', das ihn den Lesern des Wirtschaftsmagazins mit grauem Mantel und rotem Schal zeigte, hat eine Debatte im SDS ausgelöst, die in einen Antrag auf Ausschluß aus dem SDS mündete. Angenommen worden ist der Antrag nicht, aber der Vorfall wurde zum Anlaß genommen, Dutschkes Führungsanspruch zu bestreiten. Er wurde angeklagt, sich zum „Hofnarren der herrschenden Klasse" degradiert haben zu lassen. Diese Instrumentalisierung durch die „institutionalisierte Öffentlichkeit" wurde auf einen Begriff gebracht: „Dutschkismus". Es ging jedoch nicht nur darum, Dutschke, wie die ‚neue kritik', das theoretische Organ des SDS, im April schrieb, „von seiner Charaktermaske zu befreien und ihm zu beweisen, daß seine Erfolge Erfolge des SDS" seien. Formuliert wurde mit dem Begriff „Dutschkismus" auch grundlegende Kritik an der Strategie der provokativen Aktion „radikaler Minderheiten". Sie wurde verworfen von denjenigen, die die „Arbeiteragitation" ins Zentrum der Arbeit des SDS rücken und den „klassenspezifischen Charakter" künftiger Aktionen sicherstellen wollten. Entschieden setzten sie sich daher gegen die Strategie der Entlarvung autoritärer Strukturen durch, wie sie es nannten, „propagandistische Aktionen" zur Wehr; eine Strategie, die aus ihrer Sicht insbesondere nach den Osterunruhen im April 1968, die in München und Berlin zu gewaltsamen Auseinandersetzungen zwischen Studenten und der Polizei geführt hatten, fraglich geworden schien. Der Protest gegen den Führungsanspruch Dutschkes, der von der Presse als „Chefideologe" des SDS und „Symbol" der Studentenrevolte etikettiert wurde, war daher zugleich ein Macht- und Konkurrenzkampf um das Deutungsmonopol innerhalb des SDS. In diesem Kampf unterlag der antiautoritäre Flügel.

Die Studentenbewegung setzt sich im Wintersemester 1968/69 fort, doch einen gesamtgesellschaftlichen Mobilisierungserfolg wie im Mai 1968 auf dem Höhepunkt der Kampagne gegen die Notstandsgesetze erreicht sie nicht mehr. Das Zentrum der Proteste verlagert sich in die Hochschulen zurück. Zwar kommt es in Berlin am 4. November noch einmal zu einem Straßenkampf, als Studenten vor dem Landgericht mit Pflastersteinen gegen Polizisten vorgehen, um gegen das Verfahren zu protestieren, das Axel Caesar Springer gegen den Anwalt des SDS, Horst Mahler, eingeleitet hat. Mahler wird für Schäden in Höhe von 506 696,70 DM verantwortlich gemacht, die am Gründonnerstag 1968, dem Tag des Attentats auf Rudi Dutschke, beim Marsch auf das Springer-Hochhaus in Berlin entstanden sind. Aber die offensive Aktion kommt einem Rückzugsgefecht gleich. Nur rund 1000 Studenten sind dem Aufruf des SDS zu einer Solidaritätsaktion gefolgt.

Unter der Parole „Bürgerliche Kritik am proletarischen Kampf ist eine Unmöglichkeit" (Horkheimer) wird in der Nacht zum 9. Dezember 1968 in Frankfurt das Soziologische Seminar der Universität Frankfurt besetzt und in das „Spartakus-Seminar" umbenannt. Die Besetzung ist der Auftakt zu einem „Aktiven Streik", der die Veränderung der Lehrinhalte und Lehrformen durch selbstorganisierte Veranstaltungen zum Ziel hat. Der ehemalige SDS-Vorsitzende Reimut Reiche erklärt auf einer Vollversammlung der Soziologen am 10. Dezember in Anwesenheit der Professoren Jürgen Habermas und Theodor W. Adorno, daß der langerwartete Moment gekommen sei, in dem man den herkömmlichen Wissenschaftsbetrieb zerschlagen und alle Professoren, die nicht gewillt seien, an der politisch orientierten und von Studenten selbst organisierten Wissenschaft teilzunehmen, in die Zonenrandgebiete oder nach Konstanz schicken könne. Habermas und Adorno verlassen den Saal. Die Vollversammlung beschließt, mit der Organisation eines eigenen Lehr- und Forschungsbetriebes die Konsequenz aus der Erfahrung der bisherigen Protestbewegung zu ziehen. Mit Mehrheit angenommen wird ein Negativkatalog mit drei Minimalforderungen: erstens Anerkennung des Studiums in Arbeitsgruppen, zweitens Verzicht der Ordinarien auf ihre institutionellen Rechte bei gleichzeitiger formaler Weiterverwaltung ihrer Lehrstühle (ein künftiges Entscheidungsgremium soll mindestens halbparitätisch besetzt sein), drittens die salvatorische Anerkennung eines rein studentischen Arbeitsbereiches, dem mindestens 30 % des Haushaltes zur Verfügung stehen. Auf einem Flugblatt, das am nächsten Tag verteilt wird, ist zu lesen: „Die Universität gehört uns." Am 18. Dezember wird das besetzte Soziologische Seminar von der Polizei geräumt. Sie ist, nachdem die auf Flugblättern ausgesprochene Aufforderung der Professoren, das Seminar unverzüglich zu räumen, nicht befolgt worden ist, von Adorno herbeigerufen worden. Die Parole „Zerschlagt die Wissenschaft", so sein Kommentar, habe eine Grenze markiert, eine Kooperation mit den Studenten unmöglich gemacht (Kaushaar 1998: 375–383).

Am 1. Juni 1969 nimmt Jürgen Habermas auf einem Studenten- und Schülerkongreß in Frankfurt unter dem Titel ‚Die Scheinrevolution und ihre Kinder' eine kritische Bestandsaufnahme der Protestbewegung vor. Seine Stellungnahme stützt sich auf Erfahrungen in den USA und der Bundesrepublik. Habermas sieht das Ziel der Protestbewegung in der „Politisierung der Öffentlichkeit". Durch die „phantasiereiche Erfindung neuer Demonstrationstechniken" sei es gelungen, Aufklärungsbarrieren zu durchbrechen und Nachdenken über Routinen sowie routinierte Verdrängungen zu provozieren. In der amerikanischen Bürgerrechtsbewegung als symbolische Aktionsformen erprobt, hätten die neuen Demonstrationstechniken sich in den Köpfen „altgedienter SDSler" in Mittel des unmittelbaren revolutionären Kampfes verwandelt. Diese Verwechslung von Symbol und Wirklichkeit komme dem klinischen Tatbestand einer Wahnvorstellung gleich. Die Studenten überschätzten ihre eigene Machtposition bis an die Grenzen lächerlicher Potenzphantasien und übersähen, daß es um einen Sturm auf die Bastille nicht gehen könne, da alle Anzeichen einer revolutionären Situation fehlten. Wenn die Protestbewegung ihre Ziele nicht nur zum Zwecke der Selbstbefriedigung verfolgen wolle, müsse sie ihre Taktik an der Wirklichkeit orientieren. Sie müsse die Grenze ihres Aktionsspielraumes erkennen. Ohne die Unterstützung durch Gruppen mit privilegiertem Einfluß sei der Zugang zur breiten Öffentlichkeit, der von den Massenmedien kontrolliert werde, nicht zu gewinnen. Ebensowenig sei das Mittel des „politischen Streiks" ohne die Unterstützung des Gewerkschaftsapparates anwendbar.

Claus Offe, Mitautor der Hochschuldenkschrift des SDS und 1968/69 Assistent von Habermas am Institut für Soziologie, widerspricht. Orientierung der Taktik an der Wirklichkeit bedeute, sich „reformistischen Kriterien" zu unterwerfen. Habermas zu folgen heiße, auf ein „Widerstandspotential" gegen die „autoritäre Deformation des bürgerlichen Rechtsstaates" zu verzichten. Zwar könne gegenwärtig nicht mit einem Zusammenbruch des spätkapitalistischen Institutionensystems gerechnet werden, aber der Konflikt zwischen dem Möglichen und dem Wirklichen durch den Widerspruch der angehenden „professionalisierten Intelligenz" problematisiert werden. Angesichts verhärteter politischer Kontrolle, die die Bedingungen gesellschaftlicher Aufklärung verändert habe, schreibt er der Selbstaufklärung durch Aktion die Rolle zu, praktische Aufklärungsprozesse voranzutreiben und „Widerstandspotential" zu erhalten. Letzteres sei entstanden aus „der Einsicht in einen alle gesellschaftlichen Lebensbereiche und Freiheitschancen erfassenden regressiven Prozeß" sowie aus der „kollektiven Erfahrung einer alten Sozialstruktur und der in ihr sich zusammenziehenden Repressionen". Ziel der Protestbewegung sei nicht die Politisierung der Öffentlichkeit, diese sei lediglich ein Mittel revolutionärer Politik, sondern die „Dekonstruktion von Institutionen der politischen, ökonomischen, publizistischen und kulturellen Unterdrückung". Das Buch ‚Die Linke antwortet Jürgen Habermas', in dem Offes Replik erscheint, verdeutlicht die Bedeutung der Definition der gesellschaftlichen Situation für die Beurteilung der Handlungsstrategien und Protestformen.

Gerungen wird im Prozeß der Auflösung der Außerparlamentarischen Opposition in der Bundesrepublik fortan daher vor allem auch um Deutungskompetenz auf dem Gebiet der Zeitdiagnose, der Definition der Gegenwartsgesellschaft. Während in den K-Gruppen die Klassiker des Sozialismus zur Pflichtlektüre werden, beginnen Sozialwissenschaftler, darunter solche, die der Neuen Linken nahestehen, die Bedingungen und Charakteristika der Gegenwartsgesellschaft zu überdenken und neu zu definieren. Eine Debatte über die Struktur- und Legitimationsprobleme des (spät)kapitalistischen Staates setzt ein, die ihren Höhepunkt in der ersten Hälfte der 70er Jahre findet. Eine zu diesem Zeitpunkt an die Universitäten strömende neue Studentengeneration wird mit den ersten Ergebnissen neomarxistischer, strukturalistischer oder marxistisch inspirierter Gesellschaftsanalyse konfrontiert. Die Entwicklung in den Sozialwissenschaften strahlt auf andere Disziplinen, wie beispielsweise die Geschichtswissenschaft, aus.

So gewinnt das Postulat der intellektuellen Vordenker der Neuen Linken, als Voraussetzung gesellschaftlicher Transformation die Bedingungen und Strukturen der Gegenwartsgesellschaft zu analysieren, eine verspätete Einlösung. Was rückblickend als „Diskurs-Herrschaft" der Neuen Linken erscheint, ist jedoch lediglich eine sekundäre Folge der 68er Bewegung. Am Diskurs beteiligt ist diejenige Trägergruppe, die die Bewegung angestoßen hat, nicht mehr. Der SDS hat sich am 21. März 1970 aufgelöst. Die Debatte über die Struktur- und Legitimationsprobleme des spätkapitalistischen Staates erfolgt vor dem Hintergrund veränderter politisch-sozialer Kontextbedingungen sowie fachinterner Kontroversen und Entwicklungen, die die Impulse der Neuen Linken überlagern und brechen. Exemplarisch wirft dieses Beispiel die „Zurechnungsfrage" auf: die Bestimmung des Einflusses sozialer Bewegungen auf politische, soziale oder kulturelle Entwicklungen.

2. Aufbruch oder „kollektiver Traum": Die Zurechnungsfrage

Der 68er Bewegung sind die verschiedensten Wirkungen zugeschrieben worden: emanzipatorische und destruktive. Die Zurechnung erfolgte zumeist nach politischen Standorten und wurde nicht selten geleitet von Gegenwartsinteressen. Auch wurde die 68er Bewegung, gleichviel, ob verklärt oder dämonisiert, für den politischen Tageskampf instrumentalisiert. Übersehen wurde dabei häufig, daß die 68er Proteste ein internationales Phänomen waren, dessen Mobilisierungsdynamik, Ursachen und Folgen nicht allein aus einer nationalen Perspektive zu betrachten sind. Unberücksichtigt blieben ferner drei generelle Eigenschaften sozialer Bewegungen, die auch bei der Analyse der Wirkungen der 68er Bewegung zu beachten sind. Erstens: Soziale Bewegungen sind ein fluides soziales Phänomen. Sie können nicht dauerhaft in Bewegung bleiben, sondern zerfallen nach einer Phase der Mobilisierung. Sie werden überführt in Organisationen mit spezifischen Aufgaben oder aufgesogen von bestehenden politischen Parteien. In beiden Fällen zeigen sich die „Folgen" nur in der Übernahme von ausgewählten und dabei veränderten Impulsen aus der Wert- und Zielorientierung der ursprünglichen Bewegung. Überschreiten soziale Bewegungen die Organisationsschwelle nicht, zerfallen sie in vernetzte Kleingruppen, subkulturelle Stile der Lebensführung oder generationsspezifische Erinnerungsgemeinschaften. Dadurch wird die Pluralität der Alltagskultur vergrößert, die ursprüngliche Bewegung jedoch politisch neutralisiert. Je weiter sich die Ursachen-Wirkungen-Kette verlängert, desto komplexer wird die Zurechnungsfrage. Zweitens: Soziale Bewegungen definieren neue „issues" und führen diese in die öffentliche Debatte ein. Sie artikulieren und vermitteln gesellschaftliche Widersprüche, bedürfen aber, um wirksam zu werden, weiterer Vermittlung durch andere politische Akteure (z. B. Parteien, Verbände). Daraus folgt: Soziale Bewegungen können aus sich heraus den von ihnen erstrebten Wandel grundlegender Strukturen nur selten realisieren. Die Bestimmung des Einflusses sozialer Bewegungen auf politische, soziale und kulturelle Entwicklungen entzieht sich daher einer direkten Zuschreibung. Drittens: Soziale Bewegungen konkurrieren stets mit anderen Faktoren sozialen Wandels (z. B. immanenten Entwicklungstendenzen, gegenläufigen Interessen, Verfügungschancen über politischen Einfluß), so daß sich ihr eigenständiger Beitrag nur schwer isolieren läßt.

Einer historisch-kritischen Analyse der 68er Bewegung obliegt es, die Frage, was überhaupt zugerechnet werden kann, zu akzentuieren, um kurzschlüssige ex post Deutungen zu vermeiden, die in der öffentlichen Debatte – auch dreißig Jahren nach den Ereignissen – noch dominieren. Werturteile über die 68er Bewegung sind genug gefällt. Aufgabe einer analytisch orientierten Geschichtswissenschaft ist es, der methodischen Problematik der Zurechnung von Wirkungen auf soziale Bewegungen Rechnung zu tragen. Dazu ist es zunächst erforderlich, ihre historische Formation festzuhalten und ihre ursprüngliche Orientierung zu bestimmen.

Die Zurechnungsfrage: Als Ausgangspunkt der Betrachtung der potentiellen Wirkungen müssen die Struktur und die Ziele der Bewegung, ihre Eigenart, bestimmt werden. Zu den Besonderheiten der 68er Bewegung gehört, daß sie eine internationale Bewegung war, die in Frankreich, Italien, der Bundesrepublik und den USA zur bis dahin größten Protestmobilisierung der Nachkriegszeit führte. Die Proteste, die 1968 kulminierten, hatten einen unterschiedlichen Vorlauf und waren in verschiedene nationale Kontexte eingebunden, doch glichen sie sich in ihrer Zielorientierung und in der Struktur ihres Mobilisierungs- und Zerfallprozesses.

Die vergleichende Analyse der Bewegungen in den vier Ländern zeigt, daß die 68er Bewegung – über alle nationalen Differenzen hinweg – eine auf Ausweitung von Partizipationschancen ausgerichtete Bewegung war. Gleichviel, ob „participatory democracy", „autogestion", „autogestione", „Mitbestimmung" oder „Selbstverwaltung", die zentralen Forderungen der Bewegungen zielten auf die Erlangung und Ausweitung von Teilhabe- und Mitwirkungsrechten. Erstrebt wurde eine Veränderung von Lenkungs- und Entscheidungsstrukturen in politischen, wirtschaftlichen, sozialen und kulturellen Institutionen durch den Abbau von Herrschaft und Hierarchien, durch Selbstbestimmung und Selbstverwaltung. Die Forderung nach Demokratisierung aller Teilbereiche der Gesellschaft verknüpfte sich mit einem anderen, die Bewegungen von Land zu Land übergreifenden Ziel: der Herbeiführung eines Bewußtseinswandels durch Veränderung der Bewußtseins- und Bedürfnisstrukturen. Ausgehend von der Annahme, daß ein Bewußtseinswandel nur durch die Negation der Apathie, durch „aktive Partizipation" am gesellschaftlichen Leben sowie durch Nonkonformismus und Verweigerung gegenüber der Waren- und Konsumgesellschaft erreicht werden kann, propagierte die 68er Bewegung eine Transformationsstrategie, die beim Individuum ansetzte und dessen Veränderung (durch gesellschaftliches Engagement) als eine Voraussetzung der Herbeiführung einer „anderen" Gesellschaft ansah. Auf die Veränderung der Gesamtgesellschaft bezogen und an soziale Trägergruppen (die junge Intelligenz, Jugend, Randgruppen, Befreiungsbewegungen, „neue Arbeiterklasse") gekoppelt, enthielt die Transformationsstrategie der Neuen Linken durch diese Wendung auf das Individuum als Subjekt der Entwicklung eine existentielle Komponente. Sie setzte, um den Prozeß der Selbstbewußtwerdung eines „neuen" Menschen einzuleiten, bei der Aufhebung der Entfremdung des Individuums sowohl in der Produktionssphäre als auch in der Lebenswelt an. Exemplarisch in der Formel „I rebel, therefore we exist" (Hayden) zum Ausdruck gebracht, machte die Verbindung von individueller und kollektiver Emanzipationsstrategie die Besonderheit und Attraktivität der Neuen Linken aus.

Die Überlagerung und Verflechtung von politischem und kulturellem Protest erschwerte es zeitgenössischen Betrachtern, die Bewegung eindeutig zu klassifizieren – entweder als antikapitalistische, neomarxistische Bewegung oder gegenkulturelle Jugendrevolte. Diese Verflechtung kompliziert auch die Zurechnungsfrage. Geht man davon aus, daß die 68er Bewegung auf die Veränderung von Macht- und Entscheidungsstrukturen, Bewußtseinsstrukturen sowie Kulturwerten zielte, und zieht man in Betracht, daß sie, um erfolgreich zu sein, der Vermittlung in das politische, gesellschaftliche und kulturelle System bedurfte, setzt die Bestimmung der Wirkungsmacht nicht nur eine der dualen Zielorientierung Rechnung tragende, sondern auch deren Veränderung im Prozeß der „Vermittlung" einbeziehende Analyse voraus. Für eine solche differenzierte und differenzierende Analyse fehlen jedoch 30 Jahre nach den Ereignissen die Forschungsgrundlagen. Aussagen über die Nachwirkungen und die historische Rolle der Bewegung können daher vorläufig nur Annäherungen an die Wirkungsproblematik sein. Vier Dimensionen einer Vermittlung der Zielorientierung sollen nachfolgend betrachtet werden.

Vermittlung durch Nachfolgeorganisationen und Nachfolgebewegungen: In allen vier Ländern löste sich die 68er Bewegung in rivalisierende politische Gruppen, Subkulturen oder

Nachfolgebewegungen auf. Eine langfristige Fortsetzung der dualen Zielorientierung der 68er Bewegung erfolgte in diesen nicht. Die marxistisch-leninistischen Gruppen ordneten – durch ihre Rückkehr zur hierarchisch strukturierten Kaderorganisation – das Indiviuum wieder dem Kollektiv unter und gaben damit die antiautoritäre, auf Selbstbestimmung und individuelle Emanzipation zielende Komponente der 68er Bewegung auf. In den Subkulturen blieb das Spannungsverhältnis von Selbstbestimmung und Selbstverwaltung zwar zunächst erhalten, aber die Leitidee der Selbstverwaltung verlor an gesamtgesellschaftlichem Geltungsanspruch durch den Rückzug der Trägergruppen aus dem bestehenden Institutionensystem in alternative, gegenkulturelle Milieus. So setzte sich in ihnen die Aufbruchsstimmung der 68er Bewegung fort, aber sie reduzierte sich vielfach zugleich auf eine Veränderung der unmittelbaren Lebenswelt und des Privaten und mündete bisweilen in einen Kult individueller Betroffenheit. Keine der Nachfolgebewegungen (Frauen-, Alternativ-, Ökologiebewegung) entfaltete einen mit der konkreten Utopie der 68er Bewegung vergleichbaren gesamtgesellschaftlichen Gegenentwurf zur bestehenden Gesellschaftsordnung. Die utopischen Energien, welche die 68er Bewegung inspirierten, erschienen in den siebziger Jahren aufgezehrt und erschöpft. Man kann daher sagen, daß die 68er Bewegung die bislang letzte soziale Bewegung war, die über einen Gegenentwurf zur bestehenden Wirtschafts-, Gesellschafts- und Herrschaftsordnung verfügte. Mit ihrer „konkreten Utopie" ordnete die 68er Bewegung sich in die Tradition frühsozialistischer und anarchistischer Sozialutopien sowie des Sozialismus und der Arbeiterbewegung ein, grenzte sich zugleich aber von ihren historischen Vorläufern ab. Ging der Gegenentwurf der 68er Bewegung doch davon aus, daß die Institutionalisierung des Marxismus in den Gesellschaften des „realen Sozialismus" sowie das durch Abgrenzung vom Marxismus gekennzeichnete Reformprojekt der sozialdemokratischen/sozialistischen Parteien in den westlichen Industriegesellschaften gleichermaßen als gescheitert zu betrachten waren.

Vermittlung in die politische Arena: In Deutschland und Frankreich nahmen die Parteien der alten Linken Forderungen und Anstöße der 68er Bewegung auf. Mit dem Appell „Mehr Demokratie wagen" trat 1969 Willy Brandt als Kanzler einer sozialliberalen Koalition sein Amt an. Seine Regierung unternahm den Versuch, Teilbereiche der Gesellschaft zu demokratisieren: den Bildungsbereich, das Strafrecht (§ 218, Sexualstrafrecht) und die Unternehmensverfassung (Mitbestimmung). Abstrakt griff sie damit eine Leitidee der Bewegung, die Erweiterung von Partizipationschancen, auf, die konkreten Projekte folgten jedoch Liberalisierungsvorstellungen, die in den sechziger und siebziger Jahren innerhalb des Parteiensystems mehrheitsfähig wurden. Konstatiert werden kann daher lediglich, daß die Mobilisierung der Außerparlamentarischen Opposition und deren Kritik an der Großen Koalition als Kontextbedingungen des Machtwechsels in Bonn den Wahlsieg der sozialliberalen Koalition mitbedingten und die Sozialdemokratie vom Zerfall der Neuen Linken profitierte, insofern die SPD und die Jungsozialisten einen Teil der Aktivisten und Sympathisanten der 68er Bewegung zu integrieren vermochten. Ein anderer Teil wirkte mit an der Formierung der Partei der Grünen und fand in ihr eine politische Artikulationsform.

Trug die 68er Bewegung in der Bundesrepublik zu einem Regierungswechsel bei, galt dies für Frankreich zunächst nicht. Die von de Gaulle eingeleiteten Neuwahlen führten im Juni 1968 zu einem triumphalen Wahlsieg der Gaullisten. Die Mehrheit der Franzosen erteilte der antigaullistischen Opposition eine klare Absage. Zu den unmittelbaren Auswirkungen der Mai-Bewegung gehörte eine Veränderung des Parteiensystems: der Zerfall des wahltaktischen Konsenses zwischen der Vereinigten demokratisch-sozialistischen Linken, der Fédération de la gauche démocrate et socialiste (FGDS), und der Kommunistischen Partei (PCF) sowie die Desintegration der FGDS. Die Folgen wurden bei den Präsidentschaftswahlen 1969 deutlich, als die Linke, anders als vier Jahre zuvor, nicht mehr mit einem, sondern vier konkurrierenden Kandidaten auftrat, von denen sich keiner für den entscheidenden zweiten Wahlgang qualifizierte. Das Debakel der Präsidentschaftswahl, in der Georges Pompidou die Machtposition der Gaullisten festigte, beschleunigte den Transformationsprozeß innerhalb der sozialistischen Partei, der SFIO (Séction française de l'international ouvrière). Sie konstituierte sich neu im Juli 1969 als Parti socialiste (PS). In den folgenden Jahren gelang es dieser Partei, die nichtkommunistische Linke zu integrieren. 1971 schloß sich ihr die Convention des institutions républicaines, unter Vorsitz von François Mitterrand, an; 1973/74 ein großer Teil der PSU. Als integrative Klammer im Inneren und Spezifikum nach außen wirkte die Konzeption der „autogestion". Stillschweigend übernahm 1977/78 auch die Kommunistische Partei Frankreichs den Begriff, den sie im Mai 1968 als „inhaltlose Formel" abgelehnt hatte. Das Wiedererstarken der Sozialisten in den siebziger Jahren wurde von einer neuen Wählergeneration mitgetragen: derjenigen, die 1968 zwischen 17 und 20 Jahre alt waren. Wie Umfragen eines Wahlforschungsinstitutes 1974 ermittelten, bewerteten die Jungwähler die Mai-Ereignisse überwiegend positiv. Sie waren in der Sozialistischen Partei weitaus am stärksten vertreten. Die Volksfeststimmung nach dem Wahlsieg von François Mitterrand 1981, der mit der an die Mai-Bewegung anknüpfenden Parole „Changer la vie" angetreten war, erinnerte an die Euphorie des Mai 1968: an die Aufbruchsstimmung und die Projektion eines neuen politischen Horizontes. Nach zwei Jahren mußte jedoch auch die sozialistische Regierung ihren Kurs ändern. Wirtschaftliche Kriterien setzten den Hoffnungen auf eine neue Gesellschaft Grenzen.

Wie in Frankreich trug die 68er Bewegung auch in Italien zu einer Veränderung innerhalb des Parteiensystems bei. Die Kritik der Bewegung an der Kommunistischen Partei (PCI) bestärkte deren Loslösung von der Kommunistischen Partei der Sowjetunion (KPdSU); ein Prozeß, der bereits 1956 begonnen, bis 1968 aber noch zu keiner offenen Kritik am realsozialistischen System geführt hatte. Erst die Niederschlagung des reformsozialistischen Projekts des „Prager Frühlings" im

August 1968 löste eine deutliche Distanzierung der Partei aus. Vorbereitet in langjährigen parteiinternen Debatten, war die kritische Stellungnahme der PCI zugleich eine Reaktion auf den Legitimationsverlust, den sie infolge des Mobilisierungsprozesses der 68er Bewegung erlitten hatte. Die Umorientierung der Partei ebnete dem „Eurokommunismus" den Weg, einer Strömung innerhalb der westeuropäischen Parteien, die eine Abgrenzung von Lenins Staats- und Revolutionskonzeption vornahm, sowie dem „Historischen Kompromiß" zwischen der PCI mit der Democrazia cristiana (DC), der Tolerierung einer Minderheitsregierung durch die PCI.

Die Ermordung Robert Kennedys und die Niederlage Eugene McCarthys im Kampf um die Präsidentschaftskandidatur der Demokratischen Partei nahmen der amerikanischen Antivietnamkriegsbewegung zwei potentielle Vermittler ihrer Forderungen und Ziele in das Parteien- und Institutionensystem. Unter der Präsidentschaft des Republikaners Nixon setzte sich nach 1968 der Krieg nicht nur fort, sondern fand 1970 eine nochmalige Ausdehnung. Die Proteste der Kriegsgegner gingen weiter und zwangen die Regierung Nixon 1973 dazu, die Militärdienstpflicht abzuschaffen zugunsten einer Freiwilligenarmee. Ob und in welchem Maße die Antivietnamkriegsbewegung zur Beendigung des Krieges beitrug, ist in der amerikanischen Forschungsliteratur umstritten. Tom Hayden schreibt es der Veröffentlichung der ‚Pentagon Papers' (1971) zu, die entscheidende Wende in der Einstellung der öffentlichen Meinung gegenüber dem Vietnamkrieg herbeigeführt zu haben. Denn diese Dokumentation der US-Politik im Sommer 1968 bestätigte viele Annahmen und Thesen der Kriegsgegner. Geraubt wurden die Dokumente von zwei Personen, die durch die Antivietnamkriegsbewegung beeinflußt waren, Daniel Elsberg und Anthony Russo, der Öffentlichkeit zugänglich gemacht durch die ‚New York Times', die die Aufgabe der Vermittlung übernahm und als anerkanntes Presseorgan die Konfrontation mit der Regierung riskierte. Die Forderung nach „participatory democracy" und Veränderung der Bewußtseins- und Bedürfnisstrukturen wurde in den USA durch die Gründung und Vernetzung von „grass-roots citizen-action groups", basisdemokratischen Bürgerinitiativen und Ad-hoc-Gruppen, weitergetragen und fanden ihren Niederschlag in Nachfolgebewegungen (wie der Frauen-, Homosexuellen- und Umweltbewegung). Ohne die Tradition einer im Parteiensystem verankerten alten Linken erfolgte die Vermittlung der Anstöße der amerikanischen Neuen Linken vor allem im kulturellen Bereich und über die öffentliche Meinung.

Vermittlung in die Unternehmens- und Betriebsverfassung: Antikapitalistisch und wachstumsgläubig zugleich, betrachtete die 68er Bewegung die Probleme der Gesellschaft noch primär als Probleme der Verteilung, d. h. des materiellen Ausgleichs von Benachteiligung sowie der Aufhebung relationaler Ungleichheiten, die durch den Abbau von Chancenungleichheit und den Ausbau von Partizipationsrechten zu lösen waren. Sie konzentrierte sich auf die Bindung und Kontrolle der Unternehmermacht durch Arbeiterausschüsse, entfaltete jedoch kein neues Wirtschaftsorganisationsmodell. Antiinstitutionell in ihrer Wertorientierung, verfocht sie den Aufbau von Gegenmacht gegen bestehende Institutionen, doch die aktionistisch formierte Gegenmacht brachte keine stabilisierbare Gegenordnung hervor. Die Besetzung der Betriebe in Frankreich bedeutete noch keine Veränderung der industriellen Verfassung, der Besitz- und Autoritätsstrukturen der Betriebe. Langfristig setzten sich daher die Gewerkschaften mit ihrer Strategie der materiellen Interessenpolitik und des Ausgleichs von Benachteiligungen gegen das Konzept der Umverteilung von Lenkungs- und Entscheidungskompetenzen durch. Die Mai-Bewegung mündete aber in eine Erweiterung der gewerkschaftlichen Rechte in den Betrieben.

In Italien setzte sich die Studentenbewegung zunächst in einer Mobilisierung der Arbeiterschaft fort, die das Gewerkschaftssystem herausforderte. Im Verlauf eines Generalstreiks, zu dem die Gewerkschaften im April 1969 aufriefen, um gegen die gewaltsame Auflösung einer Arbeiterdemonstration zu protestieren, wurden Forderungen laut, die über die gewerkschaftlichen Positionen hinauswiesen. In Frage gestellt wurden die hierarchische Organisation der betrieblichen Arbeit sowie das Entlohnungssystem. Gefordert wurde die aktive Beteiligung der Arbeitnehmer auf allen Ebenen der industriellen Beziehungen. Erprobt wurde in den sich bis Juli erstreckenden Streiks die Organisation von Basiskomitees in den Betrieben. In Turin traten angelernte Arbeiter der Montage-Abteilungen, die sog. Massenarbeiter, auf einer außergewerkschaftlichen Kundgebung mit der Losung „Wir wollen alles" auf, um ihre Kompromißlosigkeit sowie Kritik an der „reformistischen" Haltung der Gewerkschaften zu unterstreichen. Die in ihren Aktionsformen und Forderungen an der Studentenbewegung orientierte Streikbewegung der Arbeiterschaft gab den Anstoß zu einem grundlegenden Wandel der gewerkschaftlichen Organisationsstrukturen. Die aus den Delegierten eines Betriebes zusammengesetzten „Fabrikräte" lösten die traditionellen gewerkschaftlichen Betriebssektionen auf, die Vertreter der nach politischen Richtungen organisierten Gewerkschaften verloren ihre Basis. Das führte dazu, daß die drei Gewerkschaftsbünde CGIL (Confederazione Generale Italiana del Lavoro), CISL (Confederazione Italiana Sindacati Lavoratori) und UIL (Unione Italiana Lavoratori Metalmeccanici) einen Föderationspakt schlossen (24. Juli 1972), der die Zersplitterung in einander befehdende Richtungsgewerkschaften aufzuheben suchte. Im Ergebnis brachte die Interaktion von Studentenbewegung und Arbeiterbewegung in den Jahren 1968/69 damit in Italien eine Festigung der gewerkschaftlichen Macht in den Betrieben. Die Kritik der Neuen Linken an der alten Linken führte über einen vorübergehenden Legitimationsverlust zur Stärkung der alten Linken.

Vermittlung in die politische Kultur: Vom Kern der studentischen Neuen Linken, die angetreten war, „participatory democracy", „soziale Demokratie", „autogestion" oder „autogestione" zu verwirklichen und Bewußtseinsstrukturen langfristig zu verändern, bewahrten am meisten die Strömungen, die am Konzept der Schaffung von Gegen-Institutionen festhielten: durch antiautoritäre Kinderläden, alternative Stadtteilprojekte und Betriebe, Kommune-Experimente, Sub- oder

Gegenkulturprojekte bis hin zur Schaffung einer „Gegenöffentlichkeit" in Form von alternativen Presseorganen, Verlagen und Nachrichtenagenturen. Letztere veränderten – zumindest situativ – den öffentlichen Kommunikationsraum. Sie schufen ein Forum für tabuisierte, unterdrückte oder verzerrt dargestellte Probleme. Sie ermöglichten es, Standpunkte und Stellungnahmen über die „Versammlungsöffentlichkeit" hinaus einer räumlich und sozial erweiterten Öffentlichkeit bekannt zu machen, und vermittelten – im Idealfall – Aufklärung durch „Gegeninformationen", die von den etablierten Medien, Presse- und Nachrichtenagenturen nicht vermittelt wurden. Viele alternative Verlage, Zeitschriften und Zeitungen überdauerten die Bewegung, die sie hervorgebracht hatte.

Die duale Zielorientierung der 68er Bewegung (Partizipationserweiterung und Bewußtseinsveränderung) überdauerte die Bewegung auch in den Aktionsformen, derer sie sich im Mobilisierungsprozeß bedient hatte: der „direkten Aktion" in all ihren Facetten – von der „demonstrativ-appellativen", d.h. an die Öffentlichkeit sich wendenden symbolischen, provokativen Aktion bis zur „direkt-koerziven", d.h. unmittelbaren Zwang auf Institutionen ausübenden Aktion. Erfunden hatte die Bewegung diese Aktionsformen nicht. Sie waren bereits zuvor erprobt worden in der indischen Befreiungsbewegung, der schwarzen amerikanischen Bürgerrechtsbewegung und der britischen Antiatomwaffenbewegung. Ausführlich diskutiert worden war die Wirkung dieser Aktionsformen zudem in der sozialistischen Arbeiterbewegung im Rahmen der Debatte über den „politischen Massenstreik" (1904–1910). Die Besonderheit der 68er Bewegung lag in der Verknüpfung dieser Denkansätze und Praktiken mit den direkten Aktions- und „Spiel"formen der Dadaisten, Surrealisten und Situationisten. Die Nachfolgebewegungen (Frauen-, Alternativ-, Ökologiebewegung) griffen diese Strategie der exemplarischen Aktion, die von der 68er Bewegung verbreitet worden war, auf und setzten sie für ihre Ziele ein. Die neuen Aktionsformen haben insbesondere in der Bundesrepublik, in der weder der politische Streik bei den Gewerkschaften noch die dadaistischsurrealistische Provokation verankert waren, die Öffentlichkeit und die liberale Intelligenz provoziert, aber Akzeptanz und Toleranz für unkonventionelle Formen der Protestartikulation gefördert. Die „direkte" Aktion wurde Teil des politischen Handlungsrepertoires. Die Bundesrepublik holte damit nach, was in anderen westeuropäischen Ländern bereits bestand. Eingeleitet wurde in diesem Sinne ein Schub der „Verwestlichung" der politischen Kultur. Die Vervielfältigung der unkonventionellen Aktionen bedeutete jedoch auch eine Veralltäglichung, die das bewußtseinsschaffende Element provokativer Aktion schwächte.

Der Übergang von der exemplarischen, provokativen Aktion zum Aktionismus, den Habermas im Juni 1968 vehement kritisiert hatte, offenbarte ein Dilemma der 68er Bewegung, das auch in der Betrachtung ihrer Folgen nochmals aufscheint. Die Aktionen verselbständigten sich, und die Trägergruppen verloren die Chance, sie zu kontrollieren. Die Eskalation der Gewalt führte zum Zerfall der 68er Bewegung. Sie spaltete sich und verlor ihre Mobilisierungskraft. Einzelne Gruppen begannen sich zu radikalisieren. Unter dem Druck wachsender polizeilicher und strafrechtlicher Sanktionen tauchten die radikalen Gruppen in den Untergrund ab und nahmen den militanten, bewaffneten Kampf auf. Innerhalb der amerikanischen SDS formierten sich die „Weathermen", unter ihnen Bernardine Dohrn und Mark Rudd, um aus dem Untergrund mit gewaltsamen Aktionen eine politische Massenbewegung gegen den Krieg zu mobilisieren. Sie setzten, aus ihrer Sicht, den mit der Formel vom „Protest zum Widerstand" eingeleiteten Weg fort, doch gaben sie ein Grundelement der kognitiven Orientierung der Neuen Linken auf.

Die zukünftige Gesellschaft sollte experimentell in der bestehenden erprobt und in ihren Grundelementen vorweggenommen werden durch die Schaffung alternativer Kulturwerte und neuer Beziehungsstrukturen. Dies schloß grundsätzlich einen Weg in die andere Gesellschaft über den Untergrund, über Bomben- und Sprengstoffanschläge aus. Aufgefordert, sich den „Weathermen" anzuschließen, widersetzte sich Tom

Hayden, dem nach seinem Prozeß eine Gefängnisstrafe von fünf Jahren drohte, der Versuchung. Als Organisator der Demonstration in Chicago hatte er sich für eine Radikalisierung der Aktion, die gewaltsamen Widerstand gegen die Repression durch die Polizei einschloß, ausgesprochen, aber den Schritt zum aktiven gewaltsamen Widerstand vollzog er nicht. Die „Port-Huron-Seite" in ihm, erklärte er später, verhinderte dies. Die Leitideen „participatory democracy" und „Selbstorganisation" waren unvereinbar mit dem gewaltsamen Aktionismus der Weathermen-Fraktion. So knüpften die militanten Stadtguerilla-Fraktionen und terroristischen Gruppierungen zwar an die Aktionsformen der 68er Bewegung an und radikalisierten diese, doch kehrten sie sich von den Grundwerten der Neuen Linken und ihrer Transformationsstrategie ab.

Dies wird besonders deutlich auch in einem von Ulrike Meinhof nach ihrer Festnahme Ende 1972/Anfang 1973 verfaßten Zirkular, in dem sie die RAF-Angehörigen zur Zerschlagung der „Logistik des Imperialismus gegenüber der Dritten Welt" aufrief; einer Logistik, in die sie die Investitionspolitik multinationaler Konzerne einbezog. Sie ging in diesem Zirkular davon aus, daß sich die Sabotagestrategie der RAF nicht an dem Bewußtseinsstand der Massen in der Bundesrepublik orientieren konnte, sondern der revolutionäre Prozeß notwendig durch einen neuen Faschismus „hindurchmüsse". Ihre Parole „der akt der befreiung im akt der vernichtung" (Fetscher: 118, 121) war ein Bruch mit der Zielorientierung und Strategie der Neuen Linken. Orientiert war Meinhofs Strategie zu diesem Zeitpunkt jedoch nicht mehr an der 68er Bewegung, sondern am Anschlag eines palästinensischen Kommandos auf eine transalpine Ölleitung bei Triest. Die Schwelle des Übergangs zu gewaltsamen Aktionen war im Mobilisierungsprozeß der 68er Bewegung gesenkt worden, doch war in den Debatten zwischen Gewalt gegen Sachen und Gewalt gegen Personen differenziert worden. Die terroristischen Aktionen der 70er Jahre können daher nicht als unmittelbare Fortsetzung der 68er Bewegung gedeutet werden. Dennoch haben sie die retrospektive Wahrnehmung der Bewegung, die Selbstwahrnehmung der Akteure eingeschlossen, geprägt. Die Desavouierung der Ziele durch die Radikalisierung der Mittel führte zu apologetischen und ironisch-zynischen Selbstdistanzierungen vieler Akteure von der 68er Bewegung – nach dem Motto: „Wir haben nicht gesiegt, Gott sei Dank." Die vielbeschworene „Praxis der Theorie" wurde zum Argument gegen die Bewegung, wobei die ideologische Kluft zwischen Terrorismus und Neuer Linker auch in der Selbstkritik der Akteure vielfach eingeebnet und damit beschwiegen wurde, daß der Übergang von der Kritik der Waffen zur Waffe als Kritik mit einem Wandel der kognitiven Orientierung verbunden war. Der Schritt zur Guerilla und zur terroristischen Einzelaktion zerstörte die moralische Basis der Bewegung und führte bei ihren Anhängern zu einer ambivalenten Einstellung, auch wenn sie selbst daran nicht teilgenommen hatten. Die Mittel entheiligten die Zwecke.

Der „Geist von 68" wurde nicht zuletzt vermittelt durch die 68er Generation, die sich in bezug auf die Ereignisse von 68 und die Impulse, die von der Protestbewegung ausgegangen waren, formierte. Eine Besonderheit dieser Generation war, daß sie mit Abstand zu den Ereignissen wuchs. Sie ist keineswegs als Trägergruppe der Proteste anzusehen, sondern stellt eine Folge der 68er Bewegung dar. Sie umfaßt mehrheitlich die durch die Bewegung Mobilisierten. Die 68er Generation trug das Lebensgefühl und die Stimmung weiter, die sich mit der Bewegung verbanden, führte deren Aktionsformen fort und suchte teilweise deren Prinzipien zu wahren. Lebenslaufbedingt trat diese Generation den Marsch durch die Institutionen an und erklomm dabei mit fortschreitendem Alter auch Spitzenpositionen. Sie veränderte Erziehungsweisen, Verhaltens- und Umgangsformen, unterschied sich von den vorangegangenen Generationen durch einen neuen Habitus, akzentuierte und zelebrierte die von ihr vorgenommene Lebensstilreform, doch veränderte sie die Macht- und Herrschaftsstrukturen nicht. Sie wahrte in ihrer Selbstwahrnehmung das Erbe der 68er und nahm als Erinnerungsgemeinschaft, die ihre kollektive Identität in der Bezugnahme auf die Ereignisse von 1968 fand, auf deren Deutung entscheidenden Einfluß. Der Partizipationsanspruch der Generation wurde aufgesogen: sei es durch das Regelwerk der Institutionen, das sich als stärker erwies als der in sie hineingetragene Wille zur Veränderung, sei es durch die Energie verschlingende Absorptionskraft von Projektarbeit außerhalb der etablierten Institutionen.

Epilog

Die Stabilität des Institutionensystems der westlichen Demo-
kratien hat die Herausforderung der 68er Bewegung abge-
wehrt. Die repräsentative Demokratie hat sich in der Bundesrepublik, Frankreich, Italien und den USA behauptet, die alte
Linke am Ende über die Neue Linke gesiegt. Eine Enthierar-
chisierung von Macht- und Entscheidungsstrukturen ist nicht
eingetreten. Nimmt man diese Kriterien, ist die 68er Bewegung mit ihrer politischen Zielorientierung gescheitert. Un-
terscheidet man indes zwischen dem politischen Programm
(Ausbau von Partizipationschancen durch Verankerung von
direkt-demokratischen Teilhaberechten) und der kulturrevolu-
tionären Zielorientierung (Lebensstilreform durch Veränderung der Bewußtseins- und Bedürfnisstrukturen), fällt das
Ergebnis weniger eindeutig aus, kann der 68er Bewegung sowohl kulturelle als auch politische Nachwirkung zugeschrieben werden. Die Stabilität des Institutionensystems lenkte eine
Vielzahl der Impulse der 68er Bewegung auf die experimen-
telle Erprobung neuer Kultur- und Lebensformen in Subkulturen. Was als politischer Rückzug in die Privatheit erschien
(und es teilweise auch war), markierte jedoch zugleich den
Beginn der Neudefinition des Politischen in den Geschlechterbeziehungen, im Verhältnis zur Natur und anderen Lebensfel-
dern. Symbolisch auf die Formel „Das Private ist politisch"
gebracht, wurde das Verhältnis zwischen der Sphäre des privaten Lebens und der Öffentlichkeit neu konstruiert. Die
Nachfolgebewegungen, denen viele 68er Akteure beitraten,
waren in ihren Zielen, gemessen an dem Großprojekt der 68er
Bewegung, bescheidener, aber infolge der Pointierung ihrer
Anliegen auf in den politischen Entscheidungsprozeß einfüg-
bare „issues" erfolgreicher. „Die Gesellschaft", so Niklas
Luhmann in seiner Analyse der 68er Bewegung, „hat keine
Adresse. Was man von ihr verlangt, muß man an Organisa-
tionen adressieren." Die Nachfolgebewegungen, die in ihren
Aktionsformen an die 68er Bewegung anknüpften, holten auf

diesem Terrain auf. Der Demokratisierungsschub durch Selbst-organisation, den die 68er Bewegung freisetzte, und ihre Akzentuierung der Selbstbestimmung als strukturelle Voraus-setzung des Aufbaus einer „anderen" Gesellschaft trugen ins-besondere in der Bundesrepublik zur Überwindung tradierter obrigkeitsstaatlich orientierter, autoritärer Verhaltensdisposi-tionen bei, die in den 60er Jahren trotz veränderter politischer Institutionenordnung noch nachlebten. Eine Veränderung die-ser Mentalitätsstrukturen mitbedingt zu haben ist eine Wir-kung, die der 68er Bewegung zugerechnet werden kann. Der tiefgreifende Mentalitätswandel ist vor dem Hintergrund der deutschen Geschichte eine politische und kulturelle Struktur-veränderung.

Quellen- und Literaturverzeichnis

Das Verzeichnis enthält die im Text zitierten Quellen und Schriften sowie eine Auswahl von Sekundärliteratur. Einen umfassenden Überblick über die Quellen- und Literaturlage zur 68er Bewegung in der Bundesrepublik geben: 1968 in West Germany. A Guide to Sources and Literature of the Extraparliamentarian Opposition, hg. von P. Gassert/P. A. Richter, Washinghton (German Historical Institute) 1998; T. Becker/U. Schröder, Die Die Studentenproteste der 60er Jahre. Archivführer-Chronik-Bibliographie, Köln 2000.

Adorno, T. W., Erziehung nach Auschwitz, in: ders., „Ob nach Auschwitz noch sich leben lasse". Ein philosophisches Lesebuch, hg. v. R. Tiedemann, Leipzig 1997, S. 48–63.

Ders., Negative Dialektik, Frankfurt 1966.

Ders., Studien zum autoritären Charakter, Frankfurt 1995.

Albert, J. C./S. E. Albert, The Sixties Papers. Documents of a Rebellious Decade, New York 1984.

Ali, T., Street Fighting Years. Autobiographie eines 68ers, Köln 1998.

Anderson, T. H., The Movement and the Sixties, New York 1995.

Auron, Y., Les juifs d'extrême gauche en Mai 68. Une génération révolutionnaire marquée par la Shoa, Paris 1998.

Bedingungen und Organisation des Widerstandes. Der Kongreß in Hannover, Berlin 1967 (= Voltaire Flugschrift, 12).

Black Panther. Dokumentation, hg. v. R. Dutschke u. a., Berlin 1967 (= Kleine Revolutionäre Bibliothek, 2).

Bourdieu, P., Homo academicus, Frankfurt 1988.

Bundesvorstand des SDS, Schlußerklärung zum SDS-Kongreß „Vietnam – Analyse eines Exempels", in: neue kritik 7 (1966), H. 36/37, S. 38 ff.

Carmichael, S./Ch. V. Hamilton, Black Power. Die Politik der Befreiung in Amerika, Stuttgart 1968.

Castells, M., Le pouvoir de l'identité. L'ère de l'information, Paris 1997.

Cohn-Bendit, D., Der große Basar, München 1975.

Ders./G. Cohn-Bendit, Linksradikalismus. Gewaltkur gegen die Alterskrankheit des Kommunismus, Hamburg 1968.

Cohn-Bendit, G., Nous sommes en marche, Paris 1999.

Constant, Eine andere Stadt für ein anderes Leben, in: Situationistische Internationale 1958–1969. Gesammelte Ausgabe des Organs der Situationistischen Internationale, Bd. I, Hamburg 1976, S. 112–115.

Die Linke antwortet Jürgen Habermas, Frankfurt 1968.

Dreyfus-Armand, G./R. Frank/M.-F. Levy/M. Zancarini-Fournel (Hg.), Les Années 68. Le temps de la contestation, Paris 2000.

Dutschke, G., Wir hatten ein barbarisches, schönes Leben. Rudi Dutschke. Eine Biographie, Köln 1996.

Dutschke, R., Mein langer Marsch. Reden, Schriften und Tagebücher aus 20 Jahren, Reinbek 1980.

Ders., Die geschichtlichen Bedingungen für den Internationalen Emanzipationskampf (Rede auf dem Internationalen Vietnam-Kongreß), in: ders., Geschichte ist machbar. Texte über das herrschende Falsche und die Radikalität des Friedens, hg. von J. Miermeister, Berlin 1980, S. 105–121.

Ders. u. a., Die Rebellion der Studenten, Reinbek 1968.

Ders./H.-J. Krahl, Das Sich-Verweigern erfordert Guerilla-Mentalität. Organisationsreferat auf der 22. Delegiertenkonferenz des SDS (September 1967), in: Dutschke, Geschichte ist machbar, S. 89–95.

Ders./G. Salvatore, „Einleitung" zu Ernesto Che Guevara, Schaffen wir zwei, drei, viele Vietnam. Brief an das Exekutivsekretariat von OSPAAAL, Westberlin 1967, S. 10–32.

Editorial, in: New Left Review 1 (1960), H. 1, S. 2.

Enzensberger, H. M., Deutschland, Deutschland unter anderm. Äußerungen zur Politik, Frankfurt 1967.

Erklärung über den Krieg in Vietnam (1.12.1965), in: R. Lettau (Hg.), Die Gruppe 47. Bericht, Kritik, Polemik, Neuwied u. Berlin 1967, S. 459–462.

Faber, D. (Hg.), The Sixties. From Memory to History, Chapel Hill u. London 1994.

Ders., Chicago '68, Chicago 1988.

Fanon, F., Die Verdammten dieser Erde, Frankfurt [6]1994 [erste Aufl. 1966].

Fetscher, I./G. Rohrmoser, Ideologien und Strategien (Analysen zum Terrorismus I, hg. vom Bundesministerium des Inneren), Opladen 1981.

Fichter, T./S. Lönnendonker, Kleine Geschichte des SDS. Der Sozialistische Deutsche Studentenbund von 1946 bis zur Selbstauflösung, Berlin 1977.

Fink, C./P. Gassert/D. Junker, 1968. The World Transformed, Cambridge 1998.

François, E. u. a., 1968 – ein europäisches Jahr?, Leipzig 1997.

Fraser, R., 1968. A Student Generation in Revolt. An international oral history, New York 1988.

Gäng, P./J. Horlemann, Vietnam. Genesis eines Konflikts, Frankfurt [9]1973 [erste Aufl. 1966].

Gilcher-Holtey, I. (Hg.), 1968 – Vom Ereignis zum Gegenstand der Geschichtswissenschaft, Göttingen 1998 (= Geschichte und Gesellschaft, Sonderheft, Nr. 17).

Dies., „Die Phantasie an die Macht". Mai 68 in Frankreich, Frankfurt 1995.

Gitlin, T., The Sixties. Years of Hope, Days of Rage, Toronto 1989.

Ders., The Whole World is Watching. Mass Media in the Making & Unmaking of the New Left, Berkeley 1980.

Gombin, R., Le projet révolutionnaire. Eléments d'une sociologie des événements de mai-juin 1968, Paris 1969.

Habermas, J., Kleine Politische Schriften I–IV, Frankfurt 1981.

Hamon, H./P. Rotman, Génération, 2 Bde., Paris 1987.

Hayden, T., Reunion. A Memoir, New York 1988.

Hess, H. u. a., Angriff auf das Herz des Staates, 2 Bde., Frankfurt 1988.

Hochschul-Denkschrift: Hochschule in der Demokratie. Denkschrift des Sozialistischen Deutschen Studentenbundes zur Hochschulreform, Frankfurt 1961. Überarbeitete Fassung: W. Nitsch, U. Gerhardt, C. Offe, U. K. Preuß, Hochschule in der Demokratie. Mit einem Vorwort von J. Habermas, Frankfurt 1965.

Hochschule im Umbruch. Freie Universität Berlin 1948–1973, Teil IV 1964–1967: Die Krise; Teil V 1967–1969: Gewalt und Gegengewalt, hg. v. S. Lönnendonker/T. Fichter, Berlin 1975.

Hoffman, A., The Best of Abbie Hoffman, New York 1989.

Horkheimer, M., Gesammelte Schriften, Bd. 18: Briefwechsel 1949–1973, hg. von G. Schmid-Noerr, Frankfurt 1996.

Internationaler Vietnam-Kongreß Februar 1968 Westberlin. Der Kampf des vietnamesischen Volkes und die Globalstrategie des Imperialismus, hg. v. SDS Westberlin u. dem Internationalen Nachrichten- und Forschungsinstitut (INFI), Berlin/West 1968.

Jacobs, P./S. Landau, Die Neue Linke in den USA. Analyse und Dokumentation, München 1969.

Joffrin, L., Mai 68. Histoire des événements, Paris 1988.

Juchler, I., Die Studentenbewegungen in den Vereinigten Staaten und der Bundesrepublik Deutschland in den sechziger Jahren. Eine Untersuchung hinsichtlich ihrer Beeinflussung durch Befreiungsbewegungen und -theorien aus der Dritten Welt, Berlin 1996.

Katsiaficas, G., The Imagination of the New Left. Global Analysis of 1961, Boston 1987.

Kohser-Spohn, C., Mouvement étudiant et critique du fascisme en Allemagne dans les années soixante, Paris 1999.

Kraushaar, W., 1968 als Mythos, Chiffre und Zäsur, Hamburg 2000.

Ders., Frankfurter Schule und Studentenbewegung. Von der Flaschenpost zum Molotowcocktail 1946 bis 1995, Bd. I: Chronik, Bd. II: Dokumente, Bd. III: Aufsätze, Hamburg 1998.

Ders., 1968. Das Jahr, das alles verändert hat, München 1998.

Kreile, Michael, Gewerkschaften und Arbeitsbeziehungen in Italien (1968–1982), Frankfurt 1985.

Kurz, J., Eine Universität auf der Piazza. Entstehung und Zerfall der Studentenbewegung in Italien 1966–1968, Köln 2000.

Lacroix, B., L'utopie communautaire. L'histoire sociale d'une revolte. Paris 1981.

Luhmann, N., Universität als Milieu, Bielefeld 1992.

Mailer, N., The Armies of the Night. History as a Novel, the Novel as History, New York 1968.

Manifest, in: Situationistische Internationale. S. 152–154.

Marcuse, H., Repressive Toleranz, in: ders./R. P. Wolff/B. Moore, Kritik der reinen Toleranz, Frankfurt [11]1988, S. 93–128 [erste Aufl. 1966].

Ders., Der eindimensionale Mensch, Neuwied 1967.

Ders., Das Ende der Utopie, Berlin 1967.

Ders., Die Analyse eines Exempels (Rede auf dem SDS-Kongreß „Vietnam – Analyse eines Exempels"), in: neue kritik 7 (1966), H. 36/37, S. 30–38.

Miermeister, J./J. Staadt (Hg.), Provokationen. Die Studenten- und Jugendrevolte in ihren Flugblättern 1965–1971, Neuwied 1980.

Miliband, R., C. Wright Mills, in: New Left Review 3 (1962), S. 15–20.

Miller, J., „Democracy is in the Streets". From Port Huron to the Siege of Chicago, New York 1987.

Neidhardt, F./D. Rucht, The Analysis of Social Movements: The State of the Art and Some Perspectives of further Research, in: D. Rucht (Hg.), Research on Social Movements. The State of the Art in Western Europe and the USA, Frankfurt 1991, S. 421–464.

Notizen zur Gründung revolutionärer Kommunen in den Metropolen, in: Kraushaar, Frankfurter Schule, Bd. 1, S. 242.

Ohrt, R., Phantom Avantgarde. Eine Geschichte der Situationistischen Internationale und der modernen Kunst, Hamburg 1990.

Otto, K. A., Vom Ostermarsch zur APO. Geschichte der außerparlamentarischen Opposition in der Bundesrepublik 1960–1970, Frankfurt 1977.

Port Huron Statement, in: Miller, Democracy, S. 329–374.

Potter, P., Speech to the April 17, 1965, March on Washington, in: Albert/Albert (Hg.), The Sixties Papers, S. 221–225.

Preuß, U. K., Das politische Mandat der Studentenschaft, Frankfurt 1969.

Raschke, J., Soziale Bewegungen. Ein historisch-systematischer Grundriß, Frankfurt 1985.

Resolution „Solidarität mit den amerikanischen SDS und der Widerstandsbewegung in den USA", in: 22. Ordentliche Delegiertenkonferenz des SDS. Resolutionen und Beschlüsse (1967), hg. vom Bundesvorstand des SDS, Frankfurt 1967, S. 27.

Rorabaugh, W. J., Berkeley at War, New York u. Oxford 1989.

Roszak, T., Gegenkultur. Gedanken über die technische Gesellschaft und die Opposition der Jugend, Düsseldorf 1971.

Sale, K., SDS, New York 1973.

Sartre, J.-P., Wir sind alle Mörder. Artikel, Reden, Interviews 1947–1967, Reinbek 1988.

Schneider, M., Demokratie in Gefahr? Der Konflikt um die Notstandsgesetze. Sozialdemokratie, Gewerkschaften und intellektueller Protest 1958–1968, Bonn 1986.

Skolnick, J. H., The Politics of Protest, New York 1969.

Thompson, E. P., Revolution, in: New Left Review 1 (1960), H. 3, S. 3–10.

Ders., Revolution Again or Shut Your Ears and Run, in: New Left Review 1 (1960), H. 6, S. 18–31.

Ders. (Hg.), Out of Apathy, London 1960.

Tolomelli, M., „Repressiv getrennt" oder „organisch verbündet". Studenten und Arbeiter 1968 in der Bundesrepublik Deutschland und Italien, Opladen 2001.

Über das Elend im Studentenleben, Hamburg 1977.

Unsere Ziele und Methoden im Straßburger Skandal, in: Situationistische Internationale 11 (1967), S. 269–278.

Personenregister

Sachregister